Chips en zakgeld

www.babysitbabes.nl
www.elsruiters.nl
www.ploegsma.nl

Els Ruiters

Chips en zakgel

Uitgeverij Ploegsma Amsterdam

ISBN 978 90 216 65917 / NUR 283

© Tekst: Els Ruiters 2008
© Illustraties: Samantha Loman 2008
Omslagontwerp: Annemieke Groenhuijzen
© Deze uitgave: Uitgeverij Ploegsma bv, Amsterdam 2008

Uitgeverij Ploegsma drukt haar boeken op papier met het FSC-keurmerk. Zo helpen we waardevolle oerbossen te behouden.

Daar gaat-ie dan, dacht Lisa en ze veegde een traan weg die over haar wang rolde. Ze zat dan wel achter op de fiets bij haar vader, maar niettemin sneed de gure wind in haar gezicht. *Ik ben benieuwd hoe ze zijn. Moniek zei dat ze aan de telefoon in ieder geval wel aardig klonken...*

'Welk nummer was het ook alweer?' riep haar vader over zijn schouder. Hij zat diep weggedoken in zijn kraag en zijn stem klonk vreemd omdat hij zijn sjaal over zijn mond had gebonden.

Lisa's lange haar waaide in haar gezicht. 'Dertig.'

'Aardige huizen staan hier,' riep hij. Lisa antwoordde niet. Dit was de eerste keer dat ze bij onbekenden ging oppassen. Thuis paste ze heel vaak op de tweeling als haar vader weer eens iets anders te doen had en haar moeder werkte, maar dit was toch heel anders. Nu ging ze naar een gezin, naar mensen die haar hadden gevraagd om op te komen passen. Ze had zelfs niet eens met ze gesproken. Moniek, die contactpersoon was van de Babysit Babes, had haar ingeschakeld voor het gezin Van de Water, waar ze nu naartoe ging.

'Dertig. We zijn er. Dit moet het zijn.' Haar vader stopte.

Lisa knipperde een keer met haar ogen toen ze zag dat het nummer bij een kast van een huis hoorde: een grote witte villa met zwartgeverfde balkonhekjes en een flinke tuin eromheen. Vanuit de dakrand viel sfeervolle verlichting in driehoeken over de voorgevel waardoor het nóg sjieker leek. Het was koud, Lisa's adem dreef in witte wolkjes voor haar uit en door die lichtjes zag het huis er warm en uitnodigend uit. Ze sprong van de bagagedrager.

'Zo zo,' zei haar vader, 'die zitten goed in de slappe was. Nou Lies, veel succes, hoor.' En nog voordat Lisa aangebeld had, was hij alweer weggefietst.

In gedachten herhaalde ze het zinnetje waarmee ze zich wilde voorstellen. Dat was in ieder geval de bedoeling, dat zou ze moeten zeggen: *Goedenavond, ik ben Lisa Bomans van de Babysit Babes.* Of zou ze zeggen: *Goedenavond, Babysit Babes. Mijn naam is Lisa Bomans?* Nee, dat klonk alsof ze die mensen 'Babysit Babes' noemde.

Babysit Babes... dat klonk toch hartstikke stoer? Vier vriendinnen die samen een oppascentrale hadden. Gegarandeerd altijd oppas, vervanging mogelijk indien nodig... Dat waren zo van die woorden waarmee ze gestrooid hadden op een huis-aan-huisbriefje dat ze hadden gemaakt. En voilà! De eerste klanten hadden zich al vlug gemeld en daarom was Lisa nu onderweg naar haar allereerste oppasadres. Het was allemaal een paar weken geleden begonnen, toen Lisa voor de zoveelste keer koud en nat thuis was gekomen van haar foldertjeswijk.

'Lies? Ben jij dat?' riep haar vader van boven.

Ja, wie anders? dacht Lisa chagrijnig. Ze had het ijskoud en haar jas en spijkerbroek waren doorweekt.

'Ik ben zeiknat!' riep ze terug. 'Ik krijg mijn jas niet open!'

'Loop maar door naar boven, dan kun je je natte spullen in de badkamer uitdoen,' riep haar vader weer.

'Mijn laarzen zijn kledder! Zo kan ik toch niet naar boven!' Op de mat verschenen donkere vlekken waar het regenwater uit haar kleren, haar haren en haar schoenen drupte.

'Doe ze dan ui-huit!' kwam het weer van boven.

Ja, duh. Makkelijker gezegd dan gedaan. Lisa's vingers waren vuurrood en verkleumd en stijf. En ze kreeg het trekkertje van de rits niet goed te pakken. Toen ging de deur van de huiskamer open en keek Tom de gang in.

'Hoi. Ben je nat?'

Wat een vraag. 'Nee, zo zie ik er altijd uit,' zei ze geërgerd. 'Help me eens even. Mijn handen zijn zo koud, ik krijg mijn laarzen niet uit.' Ze stak haar ene been naar hem uit. 'Als jij de rits even opentrekt, doe ik de rest zelf wel.'

'Heb je krantjes gegooid?'

Lisa knikte. 'Stomme rotdingen.'

Gehoorzaam trok Tom de ritsen van haar laarzen los. 'Waarom doe je dat eigenlijk?' vroeg hij. 'Je vindt er niks aan.'

'Voor het geld, dat weet je toch wel? Dat heb ik al tien keer gezegd.' Normaal was Lisa niet zo kribbig, maar nu was ze zo koud en moe en vies en nat dat ze haar geduld een beetje verloren had. Bram, de andere helft van de tweeling, kwam ook in de gang.

'Hé, ben je nat?'

'Tjonge, wat zijn jullie weer tweelingerig vandaag,' zei Lisa knorrig. 'Ja, ik ben nat, ja, ik vind de krantjes stom en nee, zolang ik geen ander baantje heb hou ik het vol.'

Tom ging in iets nats staan en keek met een vies gezicht

naar zijn sok. Lisa liet haar natte laarzen op de mat achter en hobbelde druppend door naar boven. Haar vader zat op zolder, waarschijnlijk was hij weer eens aan het werk. Wat hij deed, wist Lisa onderhand niet meer. Hij was al meer dan twee jaar werkloos. Soms zei hij dat hij games programmeerde, de week daarna was het software voor ziekenhuizen, dan had hij weer een briljant idee voor een digitaal huishoudboekje... en steeds liep het op niks uit. Tenminste, dat maakte Lisa eruit op. Lisa's moeder werkte fulltime bij de Praxis. Het was niet voor niets dat Lisa geregeld op de tweeling moest passen: haar moeder was op koopavonden niet voor tien uur 's avonds thuis en haar vader zat bijna altijd boven en vergat simpelweg dat hij Bram en Tom in de gaten moest houden. En twee ondernemende jongetjes van acht jaar alleen laten... dat was vragen om moeilijkheden!

Tom liep achter haar aan. 'Je drupt,' zei hij.

'Weet ik. Maar anders kan ik toch niet boven komen?'

'Waarom ga je geen ander baantje zoeken?' vroeg hij onverstoorbaar verder. Ze schuifelde de badkamer in en pelde haar natte kleren af.

'Ik mag niks anders doen,' legde Lisa uit. 'Om als vakkenvuller te werken, moet je minstens vijftien zijn. En achter de kassa zelfs zestien.' Afgelopen zomer deed ze wel eens wat klusjes in de buurt: grasmaaien, ramen en auto's wassen, en ook een week aardbeienplukken zat erbij. Maar een echt baantje had ze niet: krantjes rondbrengen was het enige wat mocht en dus werd er iedere week een dikke stapel in plastic verpakte reclamefolders afgeleverd. Lisa had het nog nooit overgeslagen, maar de laatste tijd kreeg ze er steeds meer een hekel aan.

'Als ik jou was, ging ik iets anders bedenken,' zei Tom ernstig. Hij en Bram hadden smalle, spitse snoetjes en grote bruine ogen, heel anders dan Lisa met haar ronde wangen en blauwe kijkers.

'Ja, wijsneus, als je een idee hebt, hoor ik het graag. En nu kssjt! De badkamer uit, dan kan ik onder de douche.'

Toen Lisa onder de warme straal stond en weer een beetje gevoel in haar koude voeten begon te krijgen, klopte haar vader tegen het glazen douchehokje.

'Lies, ik moet naar de computerwinkel. Let jij even op de jongens?' Hij moest hard praten om over het geruis van het water heen te komen en Lisa veegde het glas een beetje schoon om hem te zien.

'Pap! Ik zou naar Nikki gaan!'

'Het duurt niet lang,' zei hij. 'Tegen de tijd dat jij onder de douche uit bent en je hebt aangekleed, ben ik alweer terug. Tot zo,' zei hij. Daarna liep hij weg om zijn boodschap te gaan doen. Lisa kreeg niet eens de kans om te protesteren. Ze wilde helemaal niet op de tweeling letten, want ze had afgesproken met de meiden. Als ze niet zo nat en vies was geworden, wás ze er nou al. Dan had papa ook niet weg kunnen gaan of hij moest de jongens meenemen.

Nog geen minuut later stond Bram met zijn neus tegen het glas gedrukt. 'Papa heeft gezegd dat jij voor ons zjokomel komt maken. Wanneer ben je nou klaar?'

'Nog niet, ik moet mijn haren nog wassen,' zei Lisa.

'Wanneer kom je dan?' Opeens draaide hij zich met een ruk om. 'Jouw telefoon gaat!' zei hij en hij rende de badkamer uit, op zoek naar Lisa's mobieltje, dat ergens op haar kamer lag.

'Niet opnemen!' gilde Lisa. Bram was dol op haar telefoon en had er een handje van om foto's andere namen te geven en haar beltoon steeds te veranderen. Als ze hem ergens onbewaakt liet liggen, werkte dat als een magneet op Bram.

'Welles!' gilde Bram terug maar hij was te laat. Gelukkig!

Met een zucht van ergernis kwam Lisa onder het warme water vandaan. Zolang de tweeling onbewaakt rondsprong in huis, kon ze toch niet rustig onder de douche staan. Snel schoot ze een makkelijke broek en een warme trui aan.

Met haar mobieltje in de hand liep ze naar beneden. Nikki had al gebeld, die wilde natuurlijk weten waar ze bleef. Bram en Tom sprongen om haar heen en schreeuwden als indianen: 'Zjo-ko-mel! Zjo-ko-mel!' Lisa wist precies hoe het moest – als ze niet eerst zorgde dat de tweeling hun 'zjokomel' kreeg kon ze toch niet rustig bellen. Ze wees streng naar de bank. 'Ik zal een dvd opzetten, maar eerst: zitten! Anders krijgen jullie niks.'

Dat werkte. De tweeling plofte afwachtend neer op de bank. Bram had de afstandsbediening al vast. De jongens waren hartstikke druk en niet makkelijk stil te krijgen. Maar Lisa pakte het voortvarend aan, ze zette een film op en maakte ondertussen warme chocolademelk. Daarna ging ze aan tafel zitten en belde Nikki.

'Hoi, ik stond onder de douche toen je belde. Wazzup?'

'Onder de douche...?' vroeg Nikki.

'Ja, ik ben toch maar vast gaan folderen. Morgen moet ik leren voor mijn proefwerk aardrijkskunde. En morgen is het ook pestweer,' zei Lisa met een zucht. 'Ik ben meteen gaan douchen toen ik thuiskwam. Ik had het ijskoud. Ik heb het echt helemaal gehad met die stomme krantjes.'

'Zoek dan ook iets anders!' riep Nikki. 'Je loopt de hele tijd te klagen over die folders.'

Dat was niet waar, maar Lisa ging er niet op in. Nikki had makkelijk praten, die had altijd zakgeld genoeg én ze kreeg ook nog kleedgeld. Bij Lisa thuis was het heel anders. Als Lisa eens nieuwe make-up wilde kopen, of een leuke riem of oorbellen of zo, dan moest ze er echt zelf voor sparen, want ze kreeg maar heel weinig zakgeld. Ze hadden het thuis gewoon niet breed en de helft van haar krantjesgeld ging naar een spaarrekening. Er klonken klikgeluiden en statisch geknetter

over de telefoon en opeens kwam er één klaaglijk huiltje doorheen op de achtergrond. De babyfoon bij Nikki thuis stoorde
soms het signaal van de mobiel.

'Kom je nou nog?' vroeg Nikki vlug.

'Ja, maar ik moet even wachten tot mijn vader weer terug is
van de winkel en...'

'Ik ga je hangen,' onderbrak Nikki haar, 'Kim huilt. O, de
bel, dat zullen Aïsha en Moniek wel zijn.'

En toen was ze weg. Lisa bleef een beetje verslagen met de
telefoon in haar hand zitten. Als haar vader nou maar snel te-
rugkwam! Ze trok vast haar schoenen aan en legde haar jas en
een paraplu klaar. Nikki woonde niet ver weg, maar een paar
straten bij haar vandaan en met de fiets was ze er zo. Maar ze
kon de jongens niet alleen laten, anders zwaaide er wat.

Dus ging ze bij Tom en Bram zitten en keek mee met *Happy
Feet*, dat bizar klonk omdat het Frans ingesproken was. Een
van de twee had in een onbewaakt moment natuurlijk weer
zitten klieren met de afstandsbediening. Zonder iets te zeggen zette Lisa de taal weer goed en terwijl de pinguïns voorbijkwamen, wachtte ze ongeduldig af tot haar vader weer terug was.

Had ze maar geen stomme folderwijk... Dan zat ze nu al bij
Nikki!

Het duurde lang voor haar vader terug was, maar eindelijk
kwam hij binnen. Lisa greep haar jas, haar tas en haar fiets-

sleutel en rende de deur uit. Tot haar opluchting regende het niet meer. Moniek en Aïsha waren er al. Ze zaten in de woonkamer, waar Nikki net een schaal met gevulde koeken en kano's op tafel zette.

Moniek haalde een bonbonbloc uit haar tas en brak die in stukjes. 'Met de groeten van mijn moeder,' zei ze en ze rolde met haar ogen. Lisa wist dat Moniek een nogal stroeve band met haar moeder had, wat vooral door haar moeders eeuwige overbezorgdheid kwam.

'Hè, gezellig hier,' zei Lisa en ze plofte neer op de bank. Nikki schonk haar een glas thee in en Lisa mikte er twee volle scheppen suiker in. Waarom had haar vader toch nooit thee met een koekje klaar als ze uit school kwam? Hij zat altijd maar op zolder achter zijn computer en soms vroeg Lisa zich af of hij eigenlijk wel in de gaten had dat er iemand thuiskwam. Zij was vaak net voor de tweeling thuis uit school, en hij ging er maar van uit dat Lisa de jongens wel limonade en een koekje of een snoepje gaf. Haar huiswerk kon wel wachten, zijn programmeergedoe natuurlijk niet! Maar eigenlijk wilde Lisa dat hij zelf eens een kop thee voor haar zette, dat zíj kon aanschuiven en dat hij luisterde naar wat ze op school meegemaakt had.

'Ik word nog eens moddervet van al die koek en chocola,' zei Nikki en ze stak met een voldaan gezicht een kano in haar mond.

'Ach, hou toch op!' riep Lisa uit. 'Jij moddervet? Nee, ik dan. Moet je kijken wat een fietsband hier.' Demonstratief sloeg ze op het rolletje dat boven haar broek uitkwam.

'Valt toch allemaal wel mee?' zei Nikki. 'Pak een koekje, Lisa. Of een stuk chocola.'

'Duh. Zo zal ik het wel kwijtraken.' Maar toch pakte Lisa een gevulde koek. Aan de lijn denken deed ze wel een andere keer.

'Girlz,' zei Nikki, 'ik zal maar met de deur in huis vallen: kan er volgende week vrijdagavond iemand op Kim passen? Viggo en ik gaan dan naar papa, en mam en Kees hebben een avondje uit.'

'Ik kan wel,' zei Moniek meteen. Nikki trok vragend een wenkbrauw op en Lisa wist wat dat betekende: kon Moniek dat wel? Vanwege een ongeluk toen ze klein was, had Moniek vaak pijn in haar been en dan ging alles moeizaam: lopen, staan, zelfs zitten. Was oppassen dan niet helemáál een probleem? Ze klaagde nooit, maar je kon het zien: ze liep dan met haar kruk en ze zag witjes.

'Vandaag is een slechte dag,' zei Moniek schouderophalend. 'Over een paar dagen is het weer een stuk beter.'

'Ik zou wel willen, maar ik heb afgesproken dat ik dan naar de stad ga met mam, ik moet een nieuwe jas hebben. Dus ik kan pas na negen uur,' zei Lisa na enig nadenken. 'We zouden het samen kunnen doen, is nog gezellig ook?

'Mijn opa zal wel weer moeilijk doen maar...' zei Aïsha langzaam. Ze wisten allemaal dat Aïsha's opa ooit vreselijk boos was geworden toen hij Aïsha bij Nikki bracht en Nikki's broer Viggo de deur opendeed. Het had niet veel gescheeld of hij had zijn kleindochter mee terug naar huis gesleept.

'Kom toch ook gewoon! Jouw moeder vindt dat vast wél goed,' riep Nikki. 'Zeker als je zegt dat je hier bent om op te passen. En Viggo is er toch niet?'

'Gezellig. Een oppasclubje!' zei Lisa.

'Cool! Theeleuten, dvd'tje kijken en nog geld verdienen ook. Want jullie worden betaald, hoor,' zei Nikki.

'Nou, dat zal me wel een smak geld worden als we het door drie delen,' mompelde Lisa.

Moniek fronste. Haar blik gleed van het ene naar het andere meisje. Bij Aïsha stopte ze. Die keek terug met dezelfde trek: er borrelde iets. 'Een oppasclub...' zei Moniek langzaam.

Aïsha kneep haar ogen tot spleetjes. 'Samen oppassen. Dat is eigenlijk een heel goed idee.'

13

'Duh. Denk je dat er iemand is die vier meiden zal betalen als ze het ook met één kunnen doen? Dat is toch veel te duur!' zei Lisa hoofdschuddend.

'Dat bedoel ik niet.' Moniek wreef afwezig over haar been. 'Mensen bellen om een oppas te regelen en het is gewoon altijd prijs. Want het moet toch wel gek zijn als we alle vier tegelijkertijd niet kunnen.'

'Ja,' knikte Aïsha. 'Elke oppas is wel eens verhinderd. Dus als je dan nog iemand anders achter de hand hebt, is dat natuurlijk heel handig.'

Lisa volgde haar gedachtesprong niet zo snel. 'Wat bedoel je nou?'

'Zou het iets zijn om samen een oppasdienst te beginnen?' zei Aïsha voorzichtig. 'Met z'n vieren?'

'Welja,' zei Nikki uitgelaten. 'Vier voor de prijs van één. Als de ene niet kan, hebben we nog een andere voor u dan.'

'Weet je dat dat een hartstikke goed idee is!' Moniek keek haar vriendinnen aan. 'Nik, jij bent ervaren door Kim, jij kunt ons alles vertellen wat we niet weten. We hangen briefjes op en zetten een advertentietje in het wijkblaadje dat we een oppascentrale hebben. Zoiets van: *Uw oppas is verhinderd? Bij ons grijpt u nooit mis.*'

'En dan met z'n vieren ernaartoe?' vroeg Lisa. 'Da's toch niks en als...'

'Nee, nee,' onderbrak Moniek haar. 'Een van ons gaat natuurlijk oppassen. Stel je voor dat jij wordt gevraagd om dinsdag te komen. Dan moet je streetdance afzeggen, dat wil je toch ook niet graag? In dat geval zeg je gewoon tegen de mensen die bellen dat jij die avond niet kunt, maar dat iemand anders kan komen en dat dat niet extra kost of zoiets. Een soort oppascentrale-service-club-groep-dinges.'

Het was even stil. Iedereen dacht erover na. Een oppascentrale-service-club-groep-dinges.

'Wat krijg je dan per uur?' Lisa doorbrak als eerste de stilte. 'Weet ik niet precies.' Nikki haalde haar schouders op. 'Meestal duwen mam en Kees twintig euro in mijn handen als ik een avondje opgepast heb.'

'Wat? Twintig euro?' riep Lisa uit. 'Zo veel? Ik krijg nooit wat als ik op Bram en Tom moet passen.'

'Het officiële uurtarief is vast niet zo veel, maar daar is wel achter te komen,' zei Moniek. 'Op internet staan vast wel bedragen die je per uur kunt vragen.'

'Twintig euro,' mijmerde Lisa. 'Als je een paar keer hebt opgepast, kun je nog eens iets leuks kopen.' Ze had van die supervette laarsjes gezien, met zo'n kek hakje. Ze waren hartstikke duur en haar moeder vond het altijd onzin om veel geld aan zoiets extra's uit te geven, dus ze kon er alleen maar naar kijken in de etalage. Een paar keer oppassen en dan zo veel verdienen... Dan kon ze die laarsjes zelf kopen!

'Ja, dat tikt goed aan!' Aïsha knikte. 'Ik krijg wel altijd veel, maar ik heb eigenlijk niet veel eigen geld. Meestal duwt papa me wat in handen, maar het is nooit iets wat ik zelf verdiend heb.'

Hoe langer ze het erover hadden, hoe meer ze het allemaal zagen zitten.

'Het klinkt te gek,' zei Lisa bij het zoveelste argument waarom ze het simpelweg móésten doen. 'Misschien kan ik dan eindelijk die stomme folders opzeggen!'

Moniek krabbelde in haar korte donkere haren. 'Het moet eerst lopen, natuurlijk. Pas als je regelmatig oppast, kun je daaraan gaan denken. Anders heb je helemaal niks meer.'

'En wat doen we dan? Alleen baby's of juist alleen kleuters of kleine kinderen?' Lisa beet nadenkend op een nagel.

'Allemaal natuurlijk!' riep Nikki uit. 'Daar moet je geen verschil in maken, anders verlies je al meteen klanten!'

'Ik heb nog nooit van mijn leven een luier verschoond,' zei

Aïsha weifelend. 'Kleine kinderen in bedwang houden zal wel niet zo moeilijk zijn, maar...' Ze maakte haar zin niet af en keek naar de foto van Nikki's halfzusje Kim. Dat was een lief kindje en heel tevreden maar als je op televisie van die opvoedprogramma's zag, wist je dat er heel wat kleine monsters rondliepen.

'In bedwang houden?' Moniek moest hard lachen. 'Het zijn kinderen, geen honden, hoor.'

Aïsha giechelde. 'Nou, je hoort wel hoeveel verstand ik ervan heb.'

'Ach, zo moeilijk is het niet,' zei Moniek. 'En ik kan het weten, want ik ben de oudste van vier. En vergeet Lisa niet met haar broertjes. Als je die aankunt, kun je alle kinderen aan.'

Nikki lachte. 'Aïsh, maak je maar geen zorgen. We oefenen gewoon eerst op een pop hoe je een luier om moet doen, en je hebt Kim toch ook al wel eens de fles gegeven? Dat komt best in orde.' Ze stak een stuk bonbonbloc in haar mond. 'Mo,' zei ze toen met volle mond, 'kun jij eigenlijk de trap op en af met een kind op je arm?'

Lisa hield haar adem in. Het klonk een beetje achteloos, alsof het zomaar toevallig ter sprake kwam, maar Nikki wist precies wat ze zei en hoe ze het moest brengen.

Moniek kneep haar ogen een beetje samen voor ze antwoord gaf. 'Het zal wel eens lastig zijn,' gaf ze een beetje onwillig toe. 'Maar het lukt wel als ik het maar rustig aan doe.' Ze keek de anderen aan. 'Wat nou?'

'Mo, soms gaat het helemaal niet, dat weet je toch?' zei Aïsha. 'Soms kun je Kim niet eens op schoot hebben, en die is nog maar zo klein.'

'Het lukt me wel!' snauwde Moniek fel.

'Je hoeft niet zo uit te vallen. Het is goed om vooruit te denken, en problemen die we zouden kunnen krijgen van tevoren te tackelen,' zei Nikki sussend. 'Bijvoorbeeld... Aïsha, denk je dat het mag van je opa?'

Aïsha kreeg een kleur. Ze haalde haar schouders op en speelde gedachteloos met haar oorbel. 'Weet ik niet. Het kan me ook niet schelen, ik doe het toch. Het is toch een hartstikke goed idee? En er gebeurt echt niks geks. Hij zoekt het maar uit, hoor.'

Er klonk een kreet door de babyfoon en de vier keken elkaar aan. 'Da's Kim. Ze zal haar speen wel kwijt zijn. Wacht even, girlz, anders gaat ze steeds harder jammeren.' Soepel sprong Nikki op, gevolgd door Aïsha.

'Even naar het toilet,' zei ze verontschuldigend.

Lisa en Moniek bleven met z'n tweeën achter.

'Denk je echt dat Aïsha problemen krijgt, Mo?' vroeg Lisa. Ze schonk zichzelf nog een glas thee in.

'Ik weet het niet,' zei Moniek met een zorgelijke blik in haar bruine ogen. Ze strekte haar been wat verder.

Lisa deed net of ze de pijnlijke trek op haar gezicht niet zag en zei: 'Weet je, Aïsha zal het niet met zoveel woorden zeggen, maar volgens mij kan ze haar opa niet uitstaan. Oude mensen hebben in die cultuur toch nog veel meer aanzien dan bij ons en ze zal hem nooit openlijk afvallen, maar als je het mij vraagt kan ze zijn bloed wel drinken. Als hij nee zegt, is de keet vast en zeker te klein.'

'Het laatste wat ik wil is dat ze ruzie krijgt vanwege oppassen,' zei Moniek met een frons. 'Ik weet niet wat ik van die opa moet denken. Ik versta hem sowieso al nooit, maar Aïsha's ouders zijn in ieder geval hartstikke aardig.' Ze zuchtte en knabbelde op een hoekje bonbonbloc. 'Nou ja, laten we maar niet op de dingen vooruitlopen. Misschien is het helemaal geen probleem.'

'Net als bij jou, bedoel je?' Lisa's wenkbrauw ging een stukje omhoog en ondanks zichzelf moest Moniek erom lachen.

'Precies,' knikte ze. 'Net als bij mij.'

'Wat denken jullie hiervan?' Nikki hield een vel papier omhoog en las voor: 'Oppas nodig? Wij passen op in de avonduren en in het weekend. Omdat we met z'n vieren zijn, is er altijd iemand beschikbaar. Bel ons!' Ze keek de anderen verheugd aan.

'Lijkt wel een reclame voor zo'n belspelletje,' zei Lisa hoofdschuddend.

'Het moet een beetje zakelijk zijn,' vond Moniek.

Aïsha leek maar half te luisteren – met het puntje van haar tong uit haar mond zat ze te tekenen. De halve tafel werd in beslag genomen door vellen papier, printjes en stukjes uit de krant, Nikki's laptop en daartussen zaten de vriendinnen te vergaderen. 'We moeten een naam hebben, dat is veel makkelijker,' zei ze. 'Dan onthouden mensen wie we zijn. Alleen maar "Aïsha, Lisa, Nikki en Moniek" zegt niet zoveel, maar als je een naam hebt als groep blijft dat beter hangen. Oppascentrale Huppeldepup, dat onthouden ze wel. En een logo, natuurlijk.' Toen pakte ze op waar ze mee bezig was en liet het aan de anderen zien. 'Kijk. Zoiets misschien? Als je een goeie tekst op een kaartje zet en dit staat eronder, dan valt het sowieso al op tussen al die andere advertenties die bij de supermarkt hangen.'

Nikki, Lisa en Moniek keken naar de snelle schets die Aïsha had gemaakt. Het was leuk gedaan, ze had de initialen van hun namen door elkaar geweven en er een kleur in gezet.

Moniek was de eerste die wat zei. 'Ik vind het idee leuk, maar het ziet er een beetje raar uit. Nou lijkt het net of we ons

LAMN noemen. Ik word mijn halve leven al "lamme" ge-
noemd, daar zit ik niet echt op te wachten.'

Met een schok draaide Aïsha het tekenpapier naar zich toe
en ze kreeg een kleur. 'O. Sorry Mo, dat had ik niet eens in de
gaten.'

Lisa begon te grinniken. 'Andersom kan ook. Dan staat er
MALN. Zijn we de Malle Meid'n uut Eindhov'n.'

'Ha, je lijkt mijn oom uit Groningen wel,' lachte Nikki.

Aïsha wierp Moniek een verontschuldigende blik toe, maar
die glimlachte dat weg. 'Geeft niks, Aïsh, maakt niet uit. We
hebben gewoon te weinig klinkers voor zoiets. Iets anders
dan. Brainstormen, chicas. Kom op. Gooi er eens wat kreten
tegenaan.'

'Iets met GIRLZ,' stelde Nikki voor. 'Met een z aan het eind.
Dat vind ik zo leuk klinken.'

'O? Dat hadden we nog niet gemerkt.' Uitgestreken keek
Moniek haar aan en ze schoten allemaal precies op hetzelfde
moment in de lach.

'Girlz for Boyz,' zei Nikki en ze kreeg prompt een kleur toen
ze Lisa aankeek en Moniek iets onduidelijks zei dat klonk als
'Cas'.

'Het is toch niet alleen voor jongens!' Aïsha keek de anderen aan. 'Girls for Baby's?'

'Nee, we doen ook kleuters en kinderen van de basisschool.
Wat is een kleuter in het Engels?'

Dat moest Moniek eerst opzoeken en ze schudde haar
hoofd. 'Een *toddler*. D'r is geen mens die weet wat je dan bedoelt. Schieten we ook niks mee op. Girls for babes?'

'Nee!' gierde Nikki. 'Babes, dat zijn mooie meiden, dan lijkt
het wel of we een sekssite hebben!'

Aïsha kleurde tot achter haar oren, niet gewend aan zulke
praat, maar Nikki merkte het niet.

'Kids dan?' vroeg Lisa. 'Girls for kids?'

'Maar wel met een z aan het einde!' riep Nikki bijna smekend. 'Toch? Please, girlz?'

Er werd langzaam geknikt en Moniek zei: 'Ja, maar het is nog niet compleet. We moeten toch laten zien wat we doen? Babysitten erbij zetten?'

'Hm,' zei Aïsha peinzend. 'Misschien...' Ze maakte haar zin niet af, maar pakte een stift en boog zich weer over een tekening heen. Met snelle bewegingen zette ze lijnen en letters op het papier. Een paar keer kraste ze ongeduldig door wat ze gemaakt had.

'Babysit Babes,' las Nikki over haar schouder mee. 'Hé, dát ziet er strak uit!'

'Het is wel duidelijk, ook al staat er alleen maar "babysit",' zei Aïsha een beetje verontschuldigend. 'We zouden er "oppasclub" onder kunnen zetten of zo.'

Moniek las voor vanaf het scherm van de laptop. 'Wat denken jullie van deze tekst? Vaders en moeders, zijn jullie op zoek naar een betrouwbare oppas? In het weekend, na schooltijd of op doordeweekse avonden? Voor een uurtje of voor langer? Bel nummer-zus-en-zo voor informatie of een kennismakingsgesprek.'

'Klinkt heel echt, Mo,' knikte Nikki en de anderen waren het daarmee eens. 'Ik scan straks dat tekeningetje van Aïsha en dan zet ik het erbij. We maken kopietjes en dan gaan we die ophangen in de supermarkt en bij mensen in de bus gooien. Zullen we zo maar beginnen?'

'We lijken wel een reclamebureau!' zei Lisa.

Nikki griste een wijkkrantje van de tafel en begon erin te bladeren. 'Hier! Een hele rits meiden die zich aanbieden als oppas – o, en één jongen. Daar moeten we wel tussenuit springen hoor!'

'Misschien zouden we het gewoon huis aan huis moeten verspreiden. Dat werkt vast nog veel beter. En dit is een wijk met heel veel jonge gezinnen, dus er zijn altijd mensen op zoek naar oppassers,' zei Aïsha.

'Kees maakt wel wat kopietjes op zijn werk als ik dat vraag,' zei Nikki. 'Een stuk of honderd? Als we er twee op een A4'tje zetten en we knippen ze door, hebben we tweehonderd briefjes.'

Lisa rolde met haar ogen. 'Ach ja. Ik wilde net stóppen met folderen, weten jullie nog wel?'

'Hé,' riep Nikki, 'dat is toch een goed idee? Misschien kun je ze meteen meenemen als je toch bezig bent met je wijk.'

'Bekijk 't,' zei Lisa hoofdschuddend. 'Samen uit, samen thuis, hoor. Trouwens, folderen doe ik aan de andere kant van het viaduct. Je wilt toch in de buurt oppassen? Anders wordt het zo lastig met 's avonds thuiskomen en zo.'

Moniek rommelde tussen de papieren op tafel, schoof wat ze niet gebruikte opzij en schreef daarna op de achterkant van een volgekalkt vel: 'aandachtspunten'.

'Wat nou weer?' zei Nikki met een zucht. 'Je maakt er wel een echte vergadering van!'

'Ik ben alleen maar praktisch. We moeten afspraken maken, en die moeten we allemaal weten. Om te beginnen een lijstje met wie op welke dag niet kan.'

'O ja,' mompelde Nikki.

De een na de ander gaf de avonden op waarop ze niet kon oppassen, vanwege sport of andere activiteiten. Moniek maakte een paar snelle aantekeningen.

'Even kijken,' zei ze en ze liet haar vinger over de namen glijden. 'Ik heb maandagavond gitaarles. Op dinsdag hebben Lisa en Nikki streetdance en Nikki heeft op woensdag voetbaltraining. Op woensdag gaat Aïsha naar kookles. Ik geef wiskundebijles op donderdagmiddag. Op vrijdag moet Aïsha naar de moskee en zaterdags moet Nikki overdag bijna altijd voetballen. Klopt het zover?'

'Jee,' zei Aïsha met een zucht. 'Wat een lijst. Dat we nu al zo veel verschillen hebben.'

'Makkelijk juist! Zo kan er altijd iemand oppassen, toch?' knikte Nikki.

'Hoe doen we het nou verder?' Lisa liet haar blik van de een naar de ander gaan. 'Als je al onze nummers op dat reclame-foldertje zet, zul je zien dat altijd alleen de eerste wordt gebeld. Of nummer één en nummer twee. Tenminste, dat zou ik denk ik doen. Bovenaan beginnen. En dat is toch niet de bedoeling, want dan is het steeds dezelfde die oppasadressen heeft?'

Dat had Lisa goed gezien. 'Dan moet eentje van ons dat regelen. Als contactpersoon.'

'Ik niet,' zei Aïsha meteen. 'Niet dat ik het niet wil, maar... nou ja... mijn opa... die flipt als ik zomaar een vreemde man aan de telefoon krijg.' Ze kreeg opnieuw een kleur en Lisa kreeg medelijden met haar. Haar eigen vader had dan wel niet zo veel oog voor haar, hij was in ieder geval nooit zo stug als Aïsha's opa.

Nikki grijnsde heel breed. 'Aan mij moet je dat niet overlaten. Dan krijg je dubbele afspraken of er komt niemand opdagen. Ik ben een eersteklas chaoot.'

'Ik doe het wel,' zei Moniek. 'Dat vind ik nog leuk ook. Of wil jij het liever doen, Lisa?'

Beelden van Tom en Bram die met haar mobieltje aan het rommelen waren, maakten dat Lisa snel haar hoofd schudde. 'O nee. Doe jij het maar, dat vind ik prima. Zie je het al voor je? De vorige keer had Bram mijn toetsenbord veranderd in Arabisch. En Tom heeft ooit een keer mijn voicemailtekst gewist en er een scheet voor in de plaats opgenomen.'

Twee tellen was het doodstil – toen schaterden ze het allemaal uit.

'Wat?' proestte Nikki. 'Echt?'

Aïsha schudde ongelovig haar hoofd. 'Dat kan toch niet? Hoe oud zijn ze, acht toch?'

'Acht ja, en kleine ratjes. Ze zijn gefascineerd door alles wat met telefoons te maken heeft en ze hebben zó in de gaten hoe het werkt.' Lisa knikte. 'Nou kan ik er wel om lachen, maar o man, wat was ik toen giftig. Mijn telefoon is gewoon niet veilig en niet heilig voor de jongens. Dus Mo, als jij het wilt doen, graag.'

'Goed, ik maak een mooi lijstje met al onze activiteiten en onze telefoonnummers zet ik er ook op, voor het geval je ze moet doorgeven aan iemand anders,' ging Moniek verder. 'En dan nu: wat vragen we per uur?'

'Twee vijftig,' zei Lisa aarzelend. In haar oren klonk dat vreselijk veel, zeker als je bedacht dat ze nooit geld kreeg als ze op Tom en Bram moest oppassen.

'Welnee, dat is veel te weinig! Minstens zes, misschien wel zeven euro per uur,' riep Nikki.

'Is dat niet heel erg veel?' zei Aïsha aarzelend. 'Ik denk eerder iets van vier euro per uur.'

'Dit heb ik net zien staan op internet.' Moniek viste weer een printje uit de papieren die op tafel lagen. 'Dit is van twee jaar geleden, toen zeiden ze op een babysit-website dat drie vijftig per uur het minimum was. Ik zou dus zeggen: vier euro per uur klinkt heel redelijk. Als je meer dan één kind hebt en je moet ze ook wassen en in bed leggen en zo, dan mag je meer vragen.' Ze liet haar ogen over de geprinte tekst glijden en las een reactie voor van een vader die zo blij was met de oppas voor zijn kinderen dat hij haar altijd vijfentwintig euro betaalde, of ze nou een hele avond of maar een paar uurtjes was geweest. Een mevrouw had geschreven dat ze het belachelijk vond dat je een jong grietje dat zelf nog een kind was moest betalen om op te passen terwijl ze niets anders deden dan chips eten en op de bank hangen en tv-kijken. Weer een ander schreef dat ze alleen maar hetzelfde meisje liet oppassen omdat ze niemand meer vertrouwde nadat er een oppas was geweest die haar kinderen mishandelde.

'Mishandelde?' Lisa's wenkbrauwen schoten omhoog.

'Tja, dit is natuurlijk maar één kant van het verhaal en die mevrouw doet sowieso al heel overdreven,' zei Moniek meteen en ze maakte een wegwerpgebaar met haar hand. 'Niks van aantrekken. Wat ik met deze voorbeelden maar wil aangeven: we moeten een duidelijke afspraak maken. Iets vaags als "doe maar wat" is niet goed.'

'Nou,' nam Nikki het initiatief, 'dan stel ik het volgende voor. Per uur vragen we vier euro. Als het meer dan twee kinderen zijn komt er per kind twee euro bij.'

'O nee, dat durf ik nooit te vragen!' zei Lisa. Ze voelde dat ze een kleur kreeg. Wat een geld. En dan daarom vrágen...? Ze keek naar Aïsha, die naar de lijst staarde. Aïsha was ook nooit zo'n durfal, die zou het vast ook veel te veel vinden.

'Dat vraag je ook niet, we geven gewoon een briefje met de tarieven. Stel je voor dat je nog een Bram en een Tom hebt rondrennen! Dan heb je je handen toch vol en ben je het geld echt wel waard!' Wat Nikki betrof was het een uitgemaakte zaak.

'Mogen jullie altijd 's avonds ook?' vroeg Aïsha opeens.

'Bij ons thuis maken ze er geen probleem van,' zei Nikki. 'Bij jou wel?'

Aïsha schudde haar hoofd. 'Nee, niet echt.' Ze klonk niet zo zeker als Nikki.

'Geen probleem. Als mijn moeder gaat zaniken weet ze dat ik het toch zal doen,' zei Moniek. 'En Lisa, wat denk je dat jouw ouders ervan vinden?'

Lisa speelde met de perforator. Ze keek naar de kleine rondjes papier die op het tafelblad vielen. 'Mam wil vast weten of ik mijn huiswerk wel af krijg. En dan krijgen ze natuurlijk ruzie over wie mij dan moet komen ophalen.'

'Ik pas wel eens op bij mijn neefje,' zei Aïsha, 'en mijn oom brengt me dan altijd naar huis.'

'Wacht eens, daar heb ik iets over zien staan.' Moniek trok de laptop dichter naar zich toe en rammelde op de toetsen. 'Volgens mij is het een ongeschreven wet dat het oppasgezin de oppas naar huis brengt. Even kijken of ik er iets over kan vinden.' Ze klikte wat tussen diverse websites en knikte toen. 'Ja, het staat hier overal: "In de regel haalt u de oppas op en brengt u hem/haar ook weer thuis na afloop."'

'In de regel zorg je dat je zelf naar iemand toe gaat en dat die mensen je weer thuisbrengen,' zei Nikki meteen. 'Tenminste, volgens mij.'

'Als het hier in de wijk is, kunnen we er zelf wel komen. Al moet het lopend,' zei Aïsha.

'Ja, maar ik ga echt niet in mijn eentje over straat om elf uur 's avonds hoor,' zei Lisa snel.

'Dat hoeft dan toch ook niet? Mo leest net voor dat zo'n gezin jou moet thuisbrengen!'

De meiden bespraken van alles. Nikki nodigde hen allemaal thuis uit voor een cursus luier verschonen en Lisa trakteerde haar vriendinnen op een staaltje onvervalste kwajongensstreken die Bram en Tom op een of andere mysterieuze manier altijd weer wisten te verzinnen. Terwijl ze kletsten en lachten en de schaal koek en chocola tot de laatste kruimel leegaten, maakte Moniek een soort verslagje dat ze viermaal uitprintte en uitdeelde. Er stonden bedragen op, tijden en afspraken. Nikki zou Kees een stel kopietjes laten maken die ze dan konden afgeven in het oppasgezin, maar eerst moesten natuurlijk de briefjes in de wijk verspreid worden.

'Ben benieuwd of er belangstelling voor is,' zei Aïsha toen ze met haar vriendinnen naar de voordeur liep. 'Er staan wel heel veel namen in het wijkblad.'

'Tuurlijk is er belangstelling! Wij zijn gewoon de beste!'

Dat was Nikki weer, die het succes al voor zich zag. 'Straks heeft de hele wijk het erover. Wedden? We worden superberoemd. Over een poosje hebben we het zo druk dat we nieuwe meiden moeten aannemen. Worden we directrices!'

'Ja ja. Droom maar fijn verder. Welterusten, mevrouw de directrice,' zei Moniek met rollende ogen. Ze lachte en liep toen naar haar huis, aan de overkant van de straat.

Dat was twee weken geleden. Al heel vlug nadat ze de briefjes hadden verspreid, waren de eerste reacties bij Moniek binnengekomen. Ze verdeelde de oppasadressen precies zoals afgesproken. Lisa mocht het spits afbijten. En daarom stond ze nu hier, voor dit grote huis, en drukte met haar vinger op de bel.

Goedenavond, ik ben Lisa Bomans van de Babysit Babes, fluisterde ze nog een keer voor zich uit. Een man deed de deur open.

'Hallo,' zei hij onderzoekend. 'Ik ben Paul van de Water. Kom maar verder.'

Lisa gaf hem een hand en stelde zich voor.

'Ik dacht dat je wat ouder zou zijn,' zei hij. Erg vriendelijk klonk dat niet. Hij was vast met het verkeerde been uit bed gestapt.

Lisa voelde zich een beetje krimpen onder zijn strenge blik. Ze hing haar jas op aan de kapstok en liep achter Paul aan, tot ze in een huiskamer kwamen die zo groot was dat er niet één, maar twee zithoeken waren. In de achterkamer stond een enorme eetkamertafel met maar liefst tien stoelen. Lisa had het gevoel alsof ze in *Alice in Wonderland* speelde. Overal grote duur uitziende meubelen, maar er was geen boek of plant te bekennen. In een glazen kast stond een grote verzameling dvd's. Daarnaast de grootste en platste tv die Lisa ooit had gezien.

Haar blik gleed door de kamer. Opeens zag ze een witte box waar kleurig speelgoed in lag, als een ongewilde indringer te midden van die hypermoderne vuurrode banken en zwarte laktafels.

'Janine legt net mijn zoon in bed. Wat heb je met haar afgesproken?'

Pauls vraag deed Lisa opschrikken. Afgesproken? Eigenlijk niks. Dat ze zou komen en een paar uur zou oppassen.

'Ik eh… we zouden kennismaken… en ik zou blijven.'

'Ja, dat snap ik,' zei Paul, en Lisa dacht het ongeduld in die woorden te horen, 'maar ik bedoel het geld. Hoeveel krijg je per uur?'

Zeg het, dacht Lisa, *zeg het dan! Je hebt de brief bij je.* 'Eh…' stamelde ze. 'V-v-vier euro per uur. Maar als u dat te veel vindt, is drie ook goed hoor!' Stom-stom-stom! Waarom zei ze dat er nou weer achteraan?

Paul fronste zijn voorhoofd.

Lisa voelde haar wangen branden. O, waarom kreeg ze ook altijd zo'n kleur? Nou dacht hij natuurlijk helemáál dat ze niks kon!

'Heb je ervaring?' vroeg Paul. Hij knikte naar de bank zodat ze ging zitten en bleef zelf staan. O. Moest Lisa nu weer gaan staan? Hij keek van boven op haar neer.

'Ik heb twee kleine broertjes op wie ik vaak pas,' zei ze haastig. 'En Nikki heeft een klein zusje. Nikki, dat is een van mijn vriendinnen, die doet ook mee. Niet dat ik daar nou zo vaak oppas hoor, maar ik mag wel eens een...' De frons van Paul werd dieper en de kleur rood van Lisa's wangen ook. Wat was ze toch allemaal aan het bazelen! Met een klap deed ze haar mond dicht.

'Nou, het zal wel goed wezen. Mijn vrouw kent je moeder, geloof ik,' zei hij, ook al klonk hij niet echt overtuigd. Lisa friemelde nerveus aan een draadje dat uit haar mouw piepte. In stilte bleven ze allebei in de kamer wachten. Paul liep langzaam rond, pakte een krant uit een staalkleurige lectuurbak en bladerde er even in. Lisa vroeg zich af of ze iets moest zeggen, maar haar tong leek wel verlamd. Wat een stomme start had ze gemaakt!

Toen stapte er een vrouw de huiskamer in die haar een brede lach toezond. 'Hallo, jij bent Lisa, hè? Ik ben Janine. Loop je even mee? Dan zal ik je laten zien waar Joshua slaapt en waar alles ligt.' Tegen Paul zei ze: 'Moet jij niet even een briefje klaarleggen waar we te bereiken zijn?'

Opgelucht sprong Lisa op. Snel liep ze achter Janine aan, nadat ze die eerst netjes een hand had gegeven.

Boven raakte Lisa bijna in de war van alle deuren. Het waren er zo veel, het leek wel een klein hotel. En ze waren allemaal hetzelfde. Bij Lisa hing een poster van *Beyoncé* op de deur, bij Tom eentje van *Pirates of the Caribbean* en bij Bram was het *Spiderman*. Hoe moest ze in godsnaam weten waar ze moest zijn?

Janine trok een deur open. Vanzelf sprong er een zacht lichtje aan. 'Hier is de badkamer. Voor het geval je iets moet hebben,' knikte ze. 'Zoek niet naar een lichtknopje, want het licht gaat vanzelf aan. Ik moest er zelf ook aan wennen.' Ze lachte.

Lisa ving een glimp op van een hele grote ruimte met een badkamerinrichting die zo uit de showroom leek te komen.

Ze had geen tijd om te blijven staan, omdat Janine een andere deur heel zachtjes openduwde. Het licht van de gang viel in de kamer, waar een klein zachtblauw nachtlampje brandde.

'Dit is het kamertje van Joshua,' fluisterde Janine. 'Ik verwacht niet dat hij wakker zal worden, maar schone luiers liggen in de commode.'

Een klein jongetje met een speen in zijn mond lag op zijn buik in een kinderbedje en tilde zijn hoofd op toen hij het licht van de gang zag.

'Ga maar lekker slapen,' fluisterde Janine tegen hem. Het jongetje bleef opkijken en heel zachtjes trok Janine de deur weer dicht. 'Hij is heel lief, maar zo'n slechte slaper. Ik had je graag zijn kamertje wat beter willen laten zien, maar hij was zo moe, ik kon hem niet meer op houden.'

Lisa knikte. Ze wist niet goed wat ze moest zeggen. 'Wat een mooi huis,' zei ze ten slotte toen ze achter Janine de trap af liep.

Die lachte. 'Groot, bedoel je zeker. Daar moet iedereen aan wennen. Nou, dit is de deur naar de keuken. Er staat fris in de koelkast en ik heb wat lekkers klaargezet op het aanrecht. Trek maar een kast open als je een glas moet hebben.'

De keuken was even groot als de huiskamer bij Lisa thuis. Ze keek vol ontzag rond. Wat een apparatuur... Wat een spullen... En wat een ruimte! Onvoorstelbaar. En zo vreselijk keurig, bijna steriel. Het roestvrijstalen aanrecht was brandschoon, de chromen kranen blonken. Er lag geen kruimeltje op het aanrecht, alles was even opgeruimd. Zelfs de theedoeken hingen strak in het gelid over een glanzende rail. Paul kwam de keuken in en legde een briefje neer op de keukentafel. Zonder nog iets te zeggen draaide hij zich weer om.

'Moet je verder nog iets weten?' vroeg Janine en ze keek daarbij alsof ze zelf moest bedenken wat er nog voor vragen konden zijn.

'Eh... moet Joshua nog iets drinken of eten?'

'Och ja, natuurlijk! Wat stom dat ik dat haast zou vergeten. Meestal slaapt hij door, hoor. Maar als hij huilt, kun je hem natuurlijk uit bed halen en als hij honger heeft, mag hij dit.' Ze trok de koelkast open en wees op een fles met melk. 'Daar ligt de speen. Zet 'm een minuut in de magnetron, dan is-ie warm genoeg. Weet je hoe een magnetron werkt?'

'Ja hoor, geen probleem,' knikte Lisa. Ze voelde een klein beetje trots in haar borst zwellen. Ha! Ze was toch niet zo'n sufferdje als ze wel leek. Niet vanwege die magnetron natuurlijk – iedereen wist hoe die dingen werkten. Nee, dat ze gevraagd had of Joshua nog iets moest, dat vond ze toch wel goed van zichzelf. Dat maakte de onbeholpen binnenkomst weer een beetje goed.

Janine wees op een briefje dat op de keukentafel lag. 'Hier is het adres waar we zijn, en Pauls mobiele nummer staat erbij. Je mag best bellen als er iets is, hoor.' Nou, je kon zeggen wat je wilde, maar Janine was in ieder geval wél erg aardig. 'Denk je dat je je zo kunt redden?'

'Janine, we moeten weg!' klonk Paul ongeduldig van ergens uit het grote huis.

'Ik kom!' riep ze terug. 'Je hoort het, Lisa. We gaan. Nogmaals, bel als je iets wilt weten en natuurlijk als er iets met Joshua is. Veel plezier.'

'Dank u wel, u ook,' zei Lisa. Een paar tellen later viel de voordeur zachtjes dicht en was Lisa alleen in dat enorme huis. Haar voetstappen echoden op de tegelvloer. Een beetje doelloos liep ze naar de huiskamer. Tjonge, het was hier écht heel groot. Veel ruimte, die zelfs met twee zithoeken niet vol werd. Het mocht dan bij Lisa thuis niet zo modern zijn, je kon er tenminste wel lekker zitten, wat van dat knalrode bankstel niet gezegd kon worden. Het zat voor geen meter.

Ze pakte de afstandsbediening van tafel en zakte achterover in de ongemakkelijk zittende lig-zit-hangbank. Eh… hoe moest in hemelsnaam die tv aan? Het was zo'n giga-tv die aan de muur hing. Zou er niet ergens een lichtje moeten branden waardoor je kon zien of dat ding op stand-by stond? De afstandsbediening zag er ook al zo anders uit dan ze gewend was. Wel herkenbaar was het symbooltje om de tv aan te zetten, maar toen ze erop drukte, gebeurde er niets. Nee hè! Ze zou toch niet een hele avond hier alleen maar een beetje voor zich uit moeten gaan zitten kijken omdat ze de televisie niet aan kreeg…?

Ze drukte op een heleboel knopjes. De tv zweeg in alle talen. Met een zucht pakte Lisa haar telefoon. Zou pap het weten? Ze ging daar echt Janine niet voor bellen. Nee, dat was niet een beetje superstom, zeg!

Haar mobieltje pingelde. Een berichtje! Het was van Nikki. Yo Liz hoe gaat t daar? Special op mtv over Gwen Stefani!

Een special over… shit-shit-shit! Zou Nikki weten hoe zoiets werkte? Ze drukte op het knopje om terug te bellen en Nikki nam direct op. 'Hai, met Lisa. Ik zie net je bericht. Maar ik krijg hier de tv niet aan!'

Aan de andere kant begon Nikki te lachen. 'Wat? Echt niet? Waarom dan? Is-ie kapot?'

Lisa wierp een blik op het kolossale scherm. 'Nou, dat denk ik niet. Volgens mij is-ie gloednieuw, maar het is zo'n plasmageval. En ik kan de aan-knop niet vinden.'

Nikki vroeg of ze al gekeken had bij de televisie zelf. Misschien stond dat ding niet op stand-by, maar was hij helemaal uitgezet. 'Of ligt er ergens een stekker op de grond die uit het stopcontact is getrokken?' stelde ze voor.

'Ja hallo, dat had ik wel gezien, hoor. Je zult het niet geloven' – Lisa liep naar de televisie en keek links, rechts en erachter – 'maar ik zie helemaal geen snoer! Zit vast weggewerkt in de muur of zo.'

Haar ongeloof kwam bijna door de telefoon toen Nikki zei: 'Dat kan helemaal niet. Zoiets heb ik nog nooit gehoord.'

Lisa tastte aan de zijkanten van het scherm, maar vond nergens een aan-en-uitknop. Uiteindelijk gaf ze het maar op. 'Kan 't niet vinden. Heel fijn.'

'Je wilt zeker niet die mensen bellen, hè?' Nikki viel zichzelf al in de rede voor ze goed en wel uitgepraat was. 'Nee, natuurlijk wil je dat niet. Zou ik ook niet doen. Belachelijk om te bellen en dan te vragen hoe de tv aan moet.'

'Precies. Het is trouwens helemaal zo'n superdesign huis. Poepsjiek, ongezellig en heel groot en totaal ongemakkelijk. De bank zit voor geen meter.' Ze liep terug naar de bank en ging ervoor op de grond zitten. Met haar rug tegen het koele leer zat ze eigenlijk best lekker, want de vloerverwarming was aan en dat was aangenaam, ondanks de harde, glanzend zwarte tegelvloer onder haar billen. 'Nou ja, ik zoek wel iets. Ik heb mijn geschiedenisboek bij me. Dan kan ik het proefwerk van overmorgen vast bekijken.'

'Ah gets. Je gaat toch niet leren? *Boring!*' Nikki maakte geeuwgeluiden. 'Hebben ze daar gordijnen of luxaflex of zoiets?'

Lisa wilde net zeggen dat ze haar boek onder streng toezicht van haar moeder in haar tas had gedaan. Het was zo níét cool om te leren als je bij iemand moest oppassen. Dan zakte je gewoon onderuit op de bank en keek tv en at chips. Of zoiets. Maar luxaflex? Wat was dat nou voor een rare vraag. 'Eh...'

Nikki viel haar opgewekt in de rede. 'Heb je je mp3-speler bij je? Dan ga je oefenen voor streetdance. Dat zou ik doen.'

Muziekje aan en dansen maar. Lisa hoorde het al: 'Wat heb jij gisteren gedaan?' 'O, opgepast, geld verdiend en de show van streetdance erin gestampt.' Dat was wél ultracool.

'Oké, dat is nog niet eens zo'n gek idee. Misschien ga ik dat wel doen.' Ze namen afscheid en Lisa stopte haar telefoon weer weg. Uit haar tas haalde ze haar mp3-speler. Het was geen trendy duur geval, niet zo'n iPod waar iedereen mee liep alsof het niks kostte. Deze kwam van de speelgoedwinkel en deed het best goed. Met de oplaadbare batterijen kon ze wel een poosje vooruit en er konden zo'n tachtig liedjes op. Maar toch... diep in haar hart zou Lisa heel graag zo'n mooie mp3-speler willen hebben. Eentje die heel flitsend was, in een mooi kleurtje, waar meer dan duizend liedjes op konden, en filmpjes en foto's. Helaas kostte dat een smak geld. En dat was nou precies wat Lisa niet had. De helft van het geld dat ze verdiende met krantjes lopen, ging naar een speciale spaarrekening. Haar ouders hadden toegezegd het bedrag te verdubbelen zodat ze later, als ze ging studeren en op zichzelf ging wonen, een goeie start zou hebben. Voor de studie, voor een kamer, voor inrichting – *whatever.* Dat betekende in de praktijk dat Lisa heel goed nadacht voor ze iets kocht. Ze had nou eenmaal niet veel geld, en je kon het maar één keer uitgeven. Straks, met de feestdagen, mocht ze langs de deuren gaan en kreeg ze een fooi voor al die weken dat ze door weer en wind met die stomme folderpakketten liep te sjouwen. Alles bij elkaar was dat een best een heel bedrag. En dat mocht ze dan, bij wijze van uitzondering, wél allemaal houden.

Mmm, mijmerde ze. Dat was natuurlijk wel heel leuk om voor te gaan sparen: zo'n übercoole mp3-alles-in-één-speler. Als het echt zo goed betaalde als Nikki beweerde – met die vette fooi erbovenop – dan was dat het eerste wat ze zou gaan kopen.

Jeetje, wat duurt een avond lang als je niets te doen hebt...

Lisa verveelde zich. Ze had al naar Moniek gebeld, maar die kreeg ze niet te pakken en Nikki had ze al gesproken en Aïsha had vanavond een familiebezoek of zoiets en...

De tv had ze ten slotte maar opgegeven en haar huiswerk had ze ondertussen wel af. Ze was een paar keer wezen kijken bij Joshua, die als een roos lag te slapen, en ondanks het feit dat Janine had gezegd dat hij een slechte slaper was, had hij niet gemerkt dat ze bij zijn bedje stond. Het was een lief knulletje om te zien, met zijn rozige wangetjes en blonde krullen, en het was vertederend om te zien hoe zijn duimpje uit zijn mond gezakt was. Lisa hoopte een beetje dat hij wakker zou worden. Een avond was saai en eindeloos als je geen tv kon kijken en je eigen spullen niet bij de hand had.

Streetdancen had ze uiteindelijk maar niet gedaan. Ze voelde zich daarmee niet op haar gemak. Wat als hier ergens van die verborgen camera's hingen? Ze zag ze dan wel nergens, maar je hoorde de gekste verhalen. Trouwens, of ze er nou wel of niet waren – het voelde toch raar. De gordijnen waren open toen ze binnenkwam en ze kreeg een onbehaaglijk gevoel toen ze ze dicht wilde doen. Alsof ze iets te verbergen had.

Ze zag er trouwens ontzettend naar uit: over vier weken een groot optreden van streetdance, midden in de stad. Veel bezoekers, veel mensen die toevallig voorbijkwamen en zouden blijven kijken. Ondanks haar zenuwen wist ze dat ze ervan zou genieten. Als ze de muziek hoorde, de beat die haar bloed sneller deed stromen, dan werd ze iemand anders. Dan verdween haar natuurlijke verlegenheid en steeg ze boven zichzelf uit. Streetdance was een van de weinige dingen waar Lisa goed in was. Echt goed. Nikki was ook goed, maar zij was beter. Voor de rest deden de drie anderen het altijd beter: beter op school, beter in sport, beter bij de jongens.

'Jongens,' mompelde Lisa. 'Alsof ik zelfs maar verkering zou willen met een van die sukkeltjes uit mijn klas.' Ze schrok een beetje van haar eigen stem. Het klonk zo vreemd in dat holle huis.

Lisa besloot dan maar gewoon muziek te gaan luisteren. Ze deed maar één oortje in, want ze was bang dat ze Joshua's gehuil anders niet zou horen. Het was niet helemaal hetzelfde met maar één oortje, maar dat moest dan maar.

'If I could escape... be a better gu-hu-hurl...' zong ze zachtjes.

Er lagen tijdschriften in de lectuurbak, maar na vier Cosmopolitans had Lisa het daar ook wel mee gehad. Ze stond op en drentelde door het grote huis. Keek rond in de keuken. Pakte een glas cola voor zichzelf. Er lag ook een zak chips klaar, die ze opentrok, en al etend keek ze om zich heen.

Er was een aparte werkkamer, waar een computer stond. Een duur uitziend beeldscherm met boxen aan weerszijden, een grote printer, keurig gesorteerde mappen en ordners en een heleboel kantoorartikelen, netjes in het gelid opgesteld. Lisa keek naar het toetsenbord en de muis. Hoe zou dat toetsenbord aanvoelen? Ze moest er even een keer op tikken, dat had ze met alle toetsenborden. Deed ze in winkels ook. Als ze niet zulke vette vingers had van de chips, zou ze haar hele hand erop gezet hebben, maar nu duwde ze met haar pink op de spatiebalk. Met een *zwoesj*-geluid sprong de computer aan en opeens zag ze het bekende Windows bureaublad. O, help! Dat was niet de bedoeling. Dat ding stond aan! Ze zette een stapje achteruit. Hoe moest dat nou weer uit? Zou het vanzelf uitspringen? Ja toch, hè? Anders wisten ze dat ze hier in dit kantoortje was geweest en dat vond Paul vast en zeker helemaal niet goed.

O, wacht even. Ze kon hem waarschijnlijk zelf wel weer terugzetten in de slaapstand. Snel schoof ze de muis naar de linkeronderhoek en drukte op het Windows-icoontje. Het uitvliegmenu liet een hele riedel programma's zien en bovenaan stond het bekende wereldbolletje van Internet Explorer. Hm, ze hadden natuurlijk ook internet hier. Zou ze even haar mail checken? *Nee Lisa*, zei ze tegen zichzelf, *niet doen. Dat moet je eerst vragen en ze hebben niet gezegd dat dat mocht.* Ze stopte nog een handje chips in haar mond en bleef kijken naar het logo van Windows. *Niet doen...*

Haar hand bleef boven het toetsenbord hangen. Het kon toch geen kwaad? Ze deed toch geen rare dingen? Heel eventjes dan? Gauw even inloggen op haar hotmail en kijken of ze nieuwe berichten had?

Néé Lisa, niet doen, dacht ze weer. Maar toch... het was ook zo uitnodigend en ze had hier echt niks te doen en ze verveelde zich en bovendien had ze bijna geen beltegoed meer en kon ze nog precies één sms'je versturen, die ze dus maar bewaarde. Je wist maar nooit. Een vaste telefoon had ze in dit huis nog niet gezien, of hij moest ergens weggewerkt zitten in de muren, net als het snoer van de tv.

Snel schoof ze achter de computer en ze startte internet op. In een mum van tijd zat ze in haar mailbox van hotmail. Ha, fijn, morgen het eerste uur vrij! Was dat even een meevaller! Zo ging dat: ze kreeg vanzelf bericht als er lessen op school uitvielen. Wat een geluk dat ze nu even haar mail checkte, want anders had ze morgen mooi voor niks om tien over acht op school gestaan! Zou ze nog even op Hyves kijken? Daar stond vast ook nog wel iets wat ze moest weten...

Lisa's mobieltje, dat naast het toetsenbord lag, rinkelde. Het klonk bijna als geweervuur door de stille kamer. Lisa schrok en griste de telefoon van het bureau. 'Ja?' zei ze, net iets heftiger dan gebruikelijk.

'Hé Lisa, met mij.' Moniek. 'Is er wat? Je klinkt zo gek.'

Lisa blies een mond vol lucht uit. 'Nee joh, ik schrok me gewoon te pletter van de telefoon. Het is hier zo stil, ik krijg de tv niet aan en nu zit ik achter de computer en...'

'Computer? Mocht dat dan?' onderbrak Moniek haar.

'Eh...'

'Wat?' Moniek had aan een half woord genoeg. 'Je zit op de computer zonder het te vragen?'

'Ach, wat maakt dat nou uit,' mompelde Lisa. Ze voelde dat het bloed naar haar wangen schoot en was blij dat Moniek niet kon zien dat ze een kleur kreeg. 'Ik doe toch niks raars?'

'Daar gaat het niet om!' riep Moniek uit. 'Sluit als de sodemieter die computer af! Hoe denk jij dat die mensen reageren als ze merken dat jij op hun computer hebt zitten chatten?'

'Dat doe ik helemaal niet! Ik kijk alleen maar even in mijn mail om te zien of er morgen nog uitval is en...'

Moniek onderbrak haar met scherpe stem. 'Doe dat ding nou uit!'

'Maar ik heb niks anders te doen,' zei Lisa een beetje klaaglijk. Ze wist dat Moniek gelijk had. Natuurlijk, Janine en Paul zouden het vast niet leuk vinden als ze haar zo zouden aantreffen. Vooral Paul, die maakte toch al zo'n norse indruk. Janine zou er waarschijnlijk niet zo heftig op reageren, maar toch wist Lisa heel goed dat ze dom deed.

'Lies, dadelijk zijn we een oppasadres kwijt en hebben we al een slechte naam voor we goed en wel begonnen zijn. Kappen!'

'Oké, oké,' mompelde Lisa. Gehoorzaam sloot ze hotmail, Hyves en daarna internet af.

'Is-ie uit?' toeterde Moniek ongeduldig in haar oor.

'Nee, want hij stond stand-by toen ik binnenkwam,' zei Lisa met een zucht. Ze bewoog de muis naar de hoek van het scherm en zette de stand-bymodus aan. Tot haar opluchting ging het scherm in slaapstand en verminderde het zachte geruis van de computer meteen.

'Je had wel betrapt kunnen worden.' Moniek was echt boos.

'Ja, ja, nou weet ik het wel,' zei Lisa. 'De computer is uit, nou goed? Ik ga op de bank zitten met mijn handen over elkaar en doe gewoon helemaal niks meer.'

Moniek zuchtte een beetje verontschuldigend. 'Sorry, ik bedoelde het niet zo. Het is gewoon... nou ja, je moet uitkijken en ik zou met mijn vingers van de computer afblijven, behalve als ze gezegd hebben dat het mag. Ik zag net je sms'jes pas, mijn telefoon lag boven. Krijg je de tv niet aan? Hoe kan dat nou?'

Lisa haalde haar schouders op, liep terug naar de huiskamer, plofte neer op de leren bank en grabbelde in de chipszak. 'Snap er niks van,' zei ze met volle mond. 'Ik kan niet eens een aan-en-uitknop vinden. Van de afstandsbediening is al helemaal geen chocola te maken.'

'Misschien hebben ze er wel een kinderslot op gezet,' bedacht Moniek.

Shit, waarom had ze dat niet even gevraagd? Dat was heel goed mogelijk. Het probleem was alleen dat Lisa ook niet wist hoe je een kinderslot op een televisie moest loskrijgen.

'Wel jammer, ze hebben hier een hele kast vol dvd's,' zei ze. 'De avond duurt zo lang. Ik verveel me dood hier.'

'Hoe lang nog?'

'Wat hoe lang nog?'

'Wanneer komen ze weer thuis? Hoe laat?'

Lisa deed haar mond open om te antwoorden en klapte hem daarna weer dicht. Eh... dat wist ze helemaal niet. Had ze vergeten te vragen en Janine en Paul hadden het ook niet gezegd. Het ging wel geweldig zeg! Ze wist niet eens hoe laat ze thuis zouden komen en daarom zei ze opzettelijk vaag: 'O, over een uurtje of zo.'

'Tien uur? Dan zijn ze ook al weer vroeg terug. En heb je het briefje gegeven met de tarieven?'

'Jee, wat doe jij zakelijk!' Nee, natuurlijk had Lisa dat ook niet gedaan. In haar hart hoopte ze dat Paul en Janine de huis-aan-huisbrief bewaard hadden: dan hoefde zij er in ieder geval niet over te beginnen. Ze slikte een beetje ongemakkelijk, ze voelde zich betrapt en erger nog: een stomme beginneling met stomme beginnersfouten. Ze had nota bene gezegd dat Paul zelf maar moest bedenken wat hij haar wilde betalen, nadat hij haar fronsend aangekeken had vanwege die vier euro.

'Dat hebben we toch zo afgesproken?' Moniek bleef volhouden en net toen Lisa wanhopig zat te bedenken wat ze nu moest zeggen om een verder kruisverhoor te ontduiken, hoorde ze iets.

'Wacht effe, Mo,' zei ze snel. 'Volgens mij...'

Snel keek ze om zich heen. Op de kast stond een witte babyfoon, waar groene lampjes op brandden. Een van de lampjes flikkerde en sprong op rood. Ja hoor. Daar was het nog een keer. Een zacht gejammer. De babyfoon had het geluid opgepikt. En dat was maar goed ook, want als ze het niet via dat ding had gehoord, had ze niet gemerkt dat Joshua lag te huilen.

'Ik ga hangen, mijn kindje huilt,' zei ze snel. Ze hoorde Moniek nog 'succes' zeggen voor ze de telefoon dichtklapte en naar boven rende.

Joshua, het kleine jongetje met de blonde krulletjes, zat met betraande wangen rechtop in zijn ledikantje. Hij hield een knuffelkonijn tegen zich aan geklemd en keek met grote, waterige, blauwe kijkers naar Lisa toen ze binnenkwam.

'Hallo,' zei Lisa, 'wat is er? Moet je huilen? Kom maar, dan gaan we naar beneden.'

Ze tilde hem uit zijn bed. Ah bah! Wat was dat? Ze snoof een keer en rook een vieze lucht. Joshua zei niets. Hij staarde haar aan, volgde elke beweging die ze maakte. Ze zette hem neer op de commode, zag een onheilspellende bruine vlek in de slaapzak die op een haar na haar mouw gemist had en trok de rits open. Poeplucht walmde haar tegemoet.

'O nee,' kreunde Lisa. Ze keek vol afkeer naar de derrie die overal zat. 'Getver, wat smerig!' Zijn pyjamabroekje zat onder de bruine blubber, een pijp was helemaal klef, tot aan het boordje toe. De rechterkant van zijn pyjamajasje zat ook helemaal onder. Een paar tellen stond ze besluiteloos tegen de commode geleund. Hoe moest ze dit in godsnaam aanpakken? Het zat echt overal! Dit was geen kwestie van 'help, een poepbroek', dit was mega strontalarm!

Wat moest ze doen? Ze zette Joshua terug in het ledikantje en liep snel naar de badkamer. Verkeerd! Trok ze eerst de deur van een of andere slaapkamer open! Welke deur was het ook weer?

Gelukkig was het bij de volgende deur wel raak. In de badkamer was een kingsize ligbad ingebouwd, daarnaast hingen twee grote wastafels en tegen de andere muur stond een luxe douchecabine. 'Bad, douche... ik moet zo'n kinderbadje hebben!' zei Lisa hardop. Joshua, in zijn kamertje, begon weer te jammeren. 'Ik kom, Joshua, ik kom!' riep Lisa geruststellend. Geen badje? Dan maar in het grote bad. Ze griste een paar flessen badspul van een chromen houder en las snel de etiketten. Niet echt babyshampoo of -badschuim. Nou ja, dan maar wat van dat rozige damesgedoe, dat rook in ieder geval lekker. Ze duwde de stop in de afvoer, goot een scheut in het bad, zette snel de kranen open en liep terug naar de slaapkamer van Joshua.

'Ja, je bent een klein viespeukje,' zei Lisa vriendelijk terwijl ze hem weer uit bed tilde. 'Kom maar, dan mag je in bad.'

Maar eenmaal in de badkamer besefte ze dat ze het kleine jongetje niet zomaar in het bad kon zetten. Toen ze zijn pyjama, het rompertje en de bijzonder smerige luier uittrok – met haar neus opgetrokken en knipperend met haar ogen om het gevoel van walging te onderdrukken – zag ze dat hij op zijn lijfje nog veel viezer was. Hij moest eerst een beetje schoongespoeld worden voordat ze hem in bad kon doen, want anders zat alle poep in het badwater. Vlug draaide ze de kraan in de douchecabine open – ze zou hem daar wel kunnen afspoelen en... o! Nog net op tijd kon ze achteruitstappen. Wat was dat nou weer? Een of andere neveldouche? Waarom was er toch niks normáál in dit huis! Een neveldouche! Daar kon ze Joshua toch niet mee schoonmaken?

Het viel niet mee. Joshua was gewoon glibberig van de viezigheid en Lisa kon niet voorkomen dat ze kokhalsde toen ze hem uit de vieze hoop kleren op de badkamervloer moest tillen. Hij strekte zijn handjes naar haar uit. Die zaten ook al onder de smurrie. Wat een toestand! Het leek wel of ze armen tekortkwam. Ze moest én Joshua schoonmaken én voorkomen dat hij zijn vingers in zijn mond zou steken én zorgen dat hij niet uit haar handen zou wegschieten omdat hij zo glibberig was...

Met babydoekjes, die ze uit zijn kamer van de commode had gehaald, veegde ze het ergste weg. Joshua klemde zich aan haar vast. Hij kon los staan en lopen, zo te zien, maar erg zeker was hij niet en gelaten liet hij zich door Lisa schoonmaken. Lisa huiverde bij het idee dat haar spijkerbroek ook voorzien zou zijn van de nodige sporen. Had ze net nog bedacht dat het leuk zou zijn als Joshua wakker werd? Dit was niet echt wat ze in gedachten had! Opeens zag ze dat hij geen rode wangetjes meer had, maar dat hij nu blauwe lipjes kreeg en dat hij stond te bibberen, en een golf van medelijden spoelde door Lisa heen.

'Ach ventje, heb je het koud? Het is bijna klaar, dan mag je lekker in bad,' zei ze warm. Zo goed en kwaad als het kon maakte ze hem schoon en tilde hem daarna in het bad, waar ondertussen een mooi laagje water in stond. Het rook lekker. Joshua daarentegen rook nog steeds behoorlijk vies. Een beetje bedrukt zat het kleine jongetje in het voor hem veel te grote bad en keek naar het schuim dat op het water dreef. Lisa hield hem goed vast. Ze was er niet zeker van of hij niet weg zou glijden op die gladde badbodem als ze hem losliet.

Er lag geen washandje bij het bad, wel een grote zachte spons en een roze froezelgeval dat leek op een uitgebloeide bloem. Lisa waste Joshua met de spons terwijl ze hem liet spelen met het froezelding.

'Zo, nu ruik je weer lekker, hè Joshua? Dat was even vies, bah!'

'Bah,' echode hij zachtjes en plots brak er een lach door op zijn snoetje. 'Djosj bah!'

'Ja nou, Josh was heel bah!' Opgelucht lachte ze terug. Ze keek naar de vieze kleren die in een hoop op de grond lagen. Het liefst wilde ze die meteen in de vuilnisbak mikken, maar dat kon natuurlijk niet. Ze moesten in een emmer water gezet worden, zodat de vuiligheid eruit kon weken. De poeplucht hing nog steeds in de badkamer, ondanks het badschuim. Toen Joshua schoon was en weer lekker rook, tilde Lisa hem uit het bad en wikkelde hem in een grote zachte badhanddoek. Met Joshua op haar arm keek ze rond of er ergens een emmer was. Nee. Misschien op Joshua's kamer?

'Zo, nu ruik je weer helemaal lekker,' zei ze en ze trok de handdoek wat dichter om hem heen. 'Kom op, Joshua, dan zullen we eens even een pyjama voor jou gaan zoeken.'

Hij had zijn duim in zijn mond en zag er badderig en rozig uit. Zijn vochtige haartjes krulden over zijn voorhoofd. Lisa liep naar zijn kamer, pakte wat schone spullen uit de kast en nadat ze hem aangekleed had en in een warme slaapzak had gestoken, zette ze hem even op de grond. Net als zo-even stak hij zijn duim in zijn mond en volgde haar met zijn grote blauwe ogen.

'Ik moet een emmer hebben, vriendje,' zei ze. 'Heeft jouw mama geen emmers voor zulke vieze spullen?' Ze trok de kasten open. Er stond van alles, maar een emmer zat er niet bij.

Joshua keek haar aan. Hij geeuwde. Lisa dacht aan wat Janine had gezegd, dat hij een fles warme melk mocht als hij beneden was.

'Weet je wat? Ik gooi die vieze kleren zolang even in het badwater. En als jij weer in bed ligt, ga ik wel een emmer zoeken, wat dacht je daarvan?' Het was wel een wat ongewone manier, maar de stank was zo doordringend dat Lisa niet meer aarzelde en de vieze kleren in het badwater liet glijden. In de badkamer stond een klein pedaalemmertje met een plastic afvalzak erin. Lisa haalde de zak eruit, mikte de luier erin, knoopte hem dicht en zette hem bij de trap klaar om mee naar beneden te nemen. Ze waste haar handen nogmaals heel grondig, daarna pakte ze Joshua op en nam hem mee naar beneden.

De achterdeur zat op slot en dus legde Lisa het afvalzakje op de mat. Snel warmde ze de fles in de magnetron – ha, dat ging gelukkig heel makkelijk na die hele worsteling van net – en met Joshua op schoot zat ze even later uit te blazen op de bank. Het jongetje dronk gulzig en zonder pauze de hele fles achter elkaar leeg. Daarna liet hij zich moe tegen haar aanzakken en draaide een speeltje uit de box tussen zijn kleine handjes rond. Lisa glimlachte.

Hé, telefoon. Het was Nikki.

'Hoi. Is alles goed? Hoe lukt het met oppassen?'

'Goed, prima zelfs. Ik ben net pas beneden, moest Joshua in bad doen. Hij had me toch een partij gepoept, het zat echt overal, dat wil je niet weten!'

Nikki lachte. 'O, dat ken ik wel van Kim. Een spuitluier. Dan moeten we de poep soms uit haar oren halen!'

'Ja ja, hou maar op, ik heb het net *live* hier meegemaakt,' lachte Lisa terug. Er kwam een vreemd soort voldaanheid over haar en ze liet een krulletje van Joshua's haar door haar vingers glijden. Vast niet elke babysit zou de eerste keer te maken hebben met zo'n ravage, en zij had zich er toch maar netjes doorheen geslagen. Geworsteld, kon je beter zeggen.

'Zeg Nikki, waar hebben jullie thuis emmers staan?' vroeg ze.

'Wat een vraag. Emmers? In de bijkeuken, en er staan er ook in de garage. Waarom vraag je dat?'

Lisa legde uit dat ze de kleren in de week had gelegd in bad, waarop Nikki zo verschrikkelijk moest lachen dat ze zich verslikte en de hik kreeg. 'In bad? In ba-had?'

'Ja, wat moest ik anders? Al die deuren, ik wist echt niet waar ik moest zijn, en bij Josh op de kamer stond ook niks.'

'Kijk dan even of ze een bijkeuken hebben of een kelder of zo.' Nikki hikte nog een keer. 'Ik zie je morgen in de pauze op school. Dan moet je maar eens in geuren en kleuren vertellen hoe het allemaal verlopen is.'

'Geuren? Moest je dat nou zeggen?' kreunde Lisa en ze schoot toen zelf weer in de lach. 'Ik ga ophangen, Joshua moet naar bed.'

'Is goed! Tot morgen dan!'

Lisa stopte haar telefoon terug in haar broekzak en tilde Joshua op. Met de lange slaapzak die hij aanhad, zwierde hij pardoes de chips van de tafel. 'Welja, dat kan er ook nog wel bij,' mompelde ze en ze keek naar de zak waarvan de inhoud nu voor een deel over de vloer lag. Nou ja, eerst maar Joshua naar bed, dan had ze haar handen vrij. Het blonde ventje lag warm en soezerig tegen haar aan toen ze hem naar boven droeg.

In de slaapkamer rook het nog steeds naar poep. Eh... zo kon ze hem toch niet wegleggen? Eerst moest zijn bed verschoond worden, want daar zat het ook al aan. Het was zelfs door zijn slaapzakje heen gelekt! Lisa wiegde Joshua heen en weer. Wat nu? In het bedje lag het knuffelkonijn, dat wonder boven wonder schoon gebleven was. Joshua stak het konijn onder zijn arm en zijn duim in zijn mond.

'Weet je wat? Ik leg jou even in het bed van je papa en mama,' zei Lisa zachtjes. 'Dan zal ik hier eerst een schoon nestje van maken.'

Opnieuw moest ze meerdere deuren opendoen voor ze de ouderslaapkamer te pakken had. Het zag er, net als beneden, modern en strak uit. Lisa legde Joshua in het midden van het tweepersoonsbed en legde op de rand van het bed de hoofdkussens neer. Als hij er maar niet uit zou rollen. De kussens hielden hem misschien een beetje tegen. Ze gaf hem een kusje.

'Lekker gaan slapen,' fluisterde ze en ze aaide hem over zijn krulletjes. Zijn oogjes vielen al dicht voor ze bij de deur was, die ze een stukje open liet staan. In de ouderslaapkamer was natuurlijk geen babyfoon, dus ze moest wel in de gaten houden of ze hem kon horen als er iets was. In Joshua's slaapkamer keek ze in de kasten. Stapels kleren en speelgoed, en op de bovenste plank setjes schoon beddengoed. Voortvarend ging ze te werk: ze haalde het vieze beddengoed af, legde het matrasje voor het open raam om te luchten en bracht de vuile was naar de badkamer. Huh! Hier rook het ook niet echt okselfris. Eerst het badkamerraampje open. Een paar tellen keek ze weifelend naar de bende die in het bad dreef. Het schuim was verdwenen en het water had een onheilspellende bruine kleur. Voor ze iets kon doen ging opnieuw haar telefoon, dit keer was het Moniek.

'Hé, hoe gaat het? Lukt het allemaal een beetje?'

Lisa's stem klonk een beetje hol in de badkamer toen ze vertelde over de enorme poepbroek van Joshua. Moniek reageerde al niet anders dan Nikki en lachte terwijl Lisa zo smeuïg mogelijk beschreef wat er was gebeurd. 'O Mo, dit ziet er goor uit,' riep ze zachtjes. 'Echt, er drijven *klontjes* in het badwater.'

'Gets!' gilde Moniek griezelend. 'Hou op, zeg!'

Lisa kon het niet helpen, maar opeens kreeg ze de slappe lach. Het was ook zo vies: een badkuip vol met volgepoepte kleren en een stapel beddengoed ernaast die ook al zo meurde. Al stond het raam een hele week open, Lisa betwijfelde of het er wel uit zou gaan. En als dat wel zo was, zou ze het zelf in ieder geval nog heel lang ruiken. Haar lach weerkaatste tegen de wanden van de badkamer en Moniek, aan de andere kant van de lijn, lachte net zo hard mee.

'En Nikki had het over geuren en kleuren...' hikte Lisa tussen twee lachsalvo's door.

'Hou op, ik doe het bijna in mijn broek,' gierde Moniek.

'Kom dan maar bij tante Lisa. Ik ben heel ervaren in het...'

'WAT IS HIER AAN DE HAND!'

De stem van Paul donderde door de badkamer en in één klap was Lisa's lachbui voorbij. Ze draaide zich vliegensvlug om en keek recht in het boze gezicht van de heer des huizes. Met trillende vingers klapte ze haar telefoon dicht en stak hem snel weg.

'Waar is Joshua?' zei Paul. Rond zijn mondhoeken verschenen strakke, afkeurende lijnen.

'I-i-ik heb hem in uw b-b-bed gelegd,' stotterde Lisa.

'En wat is dit voor ontzettende vuiligheid?' Zijn wijsvinger ging beschuldigend naar het bad. 'Vind je dat grappig? Hè? Is dit jouw idee van een avondje oppassen?'

Lisa slikte. Ze durfde bijna geen adem te halen. *Zeg dan wat er gebeurd is*, riep ze in stilte tegen zichzelf, maar er kwam alleen maar een schor gepiep uit haar keel.

'Dit is de eerste en de laatste keer dat je hier opgepast hebt,' zei Paul vol walging. 'Wat ben jij een onbetrouwbaar nest. Vuil en vies – beneden liggen de chips over de grond en wat hier gebeurd is, is helemáál te gek voor woorden!'

'Nee, d-d-dit is niet wat u d-d-denkt!' riep Lisa verstikt uit en de tranen sprongen in haar ogen. Waarom liep het nou zo af? Ze had het toch hartstikke goed opgelost? Ze hadden nog helemaal niet thuis mogen komen: een kwartier meer tijd en er zou niets meer te zien zijn van het slagveld in de badkamer en de chips beneden.

'Vooruit, wegwezen. Janine brengt je naar huis. Ik wil je hier niet meer zien.'

'Maar...'

'Maak dat je wegkomt!' snauwde hij woedend.

Lisa glipte langs Paul heen en rende in tranen de trap af. Ze griste haar jas van de kapstok en holde door naar buiten, waar Janine tegen de auto geleund stond en een sigaretje rookte. Het liefst was Lisa doorgerend naar huis. Ze wilde niets meer met dit gezin te maken hebben, ook al was Joshua hartstikke lief geweest. Stank voor dank, dat kreeg ze! Ze kon er niks aan doen en had haar best gedaan en...

'Hé, hé, wat is dat nou? Tranen?' Janine liet haar sigaret vallen en trapte hem uit. Ze hield Lisa tegen. 'Waar ga je heen? Wat is er gebeurd? Is alles goed met Joshua?' Over haar gezicht trok een schaduw van bezorgdheid.

Lisa knikte met haar lippen stijf op elkaar geklemd. Ja, met Joshua was alles goed.

'Wat is er dan?' vroeg Janine dringend.

Lisa kon zich niet meer inhouden, ze huilde met gierende uithalen en probeerde de hand van Janine van haar arm af te schudden.

'Wat is er gebeurd?' herhaalde Janine. 'Kalmeer eens even. Meisje toch, je hoeft niet zo te huilen. Vertel eens wat er gebeurd is!'

Paul kwam naar buiten. 'Dat kind heeft er een smeerboel van gemaakt. Breng haar naar huis, Janine. En van betalen is geen sprake, hoor je dat?'

Janine begreep er niets van. Ze keek van de boze Paul naar de onbedaarlijk huilende Lisa en terug en haalde haar schouders op. 'Wil een van jullie me vertellen wat er gebeurd is?' Haar stem was wonderbaarlijk rustig te midden van het gejank van Lisa en de woede van Paul.

'Vertel jij het maar,' snerpte die. 'Dat staat daar in de badkamer, het bad tot de rand toe gevuld met vieze troep en te ginnegappen met een vriendinnetje aan de telefoon terwijl mijn zoon niet in zijn eigen bed ligt...'

Janine stak haar hand op en Paul hield op met praten. Ze draaide zich naar Lisa. 'Lisa? Waar heeft Paul het over?'

'I...hi...hik... hij ligt... i-ih-hin uw b-b-bed en...'

'Kalm aan, bedaar eens een beetje.' Janine trok een pakje papieren zakdoekjes uit haar handtas en gaf er eentje aan Lisa. 'Zo, snuit even je neus en kom dan maar eens mee naar binnen. Je hebt wat uit te leggen, geloof ik, en er is vast wel een verklaring voor.'

'Echt? Zei hij echt dat het hem speet?' Met glinsterende ogen keek Nikki Lisa aan.

Die knikte. 'O ja. En Janine was hartstikke aardig en heeft me heel goed betaald omdat ik er zo veel werk mee had gehad.'

Het was middagpauze. De vier vriendinnen bespraken in de kantine de oppasavonturen van de vorige avond. Lisa had het hele verhaal uit de doeken gedaan. Hoe ze aan de keukentafel was gaan zitten en hoe ze, eerst nog stotterend van de zenuwen, alles verteld had. Over Joshua, de poepbroek en de smurrie die overal zat, dat ze het badje niet kon vinden en dat zijn bedje ook helemaal onder zat, dat de chips van de tafel vielen toen Joshua's slaapzak erlangs zwiepte. Lisa zag Janines gezichtsuitdrukking weer voor zich: eerst een vage achterdocht gemengd met bezorgdheid, maar algauw werd dat medelijden en uiteindelijk kreeg ze zelfs een bemoedigend kneepje in haar hand. Ze had het prima gedaan, had Janine haar verzekerd. Lisa kon ook niet weten dat het badje in een kastje in de gang hing en dat de schoonmaakster de emmers altijd in de tweede bijkeuken hield.

'Tweede bijkeuken?' echode Moniek. 'Je meent het. Twee bijkeukens? Wij hebben er niet eens één!'

'Hoe dan ook, ze zagen toch wel in dat ik mijn best had gedaan. Het was gewoon pech dat ik nog niet klaar was met opruimen toen ze terugkwamen, anders hadden ze het niet eens gemerkt.'

'Wel waar,' riep Nikki. 'Het stonk als een beerput, heb je net zelf gezegd!'

'Ja, maar dan hadden ze gewoon gedacht dat Joshua een vieze broek had en daarmee uit. Ik mag in ieder geval terugkomen, dat heeft Janine zeker wel tien keer gezegd. De afspraak staat al. Volgende week woensdagavond.'

'Nieuwe ronde, nieuwe kansen,' zei Aïsha.

'Zal die man leuk vinden,' zei Moniek met opgetrokken wenkbrauwen. 'Je hebt in zijn ogen toch iets raars gedaan. En hij heeft een flater geslagen tegenover zijn vrouw. Dat zal hij je vast niet in dank afnemen.'

Lisa haalde haar schouders op. 'Dat kan mij niet schelen. Ik kom er niet voor hem: Janine is aardig en Joshua is een heel lief mannetje.'

'Een poepie,' zei Nikki droog en meteen hadden ze alle vier de slappe lach.

'Ik wil iets voorstellen,' zei Moniek toen ze uitgelachen waren. 'Misschien vinden jullie het een stom idee, maar ik zat te denken: als we alle extra's in een pot doen, kunnen we er over een poos iets mee doen. Uit eten, of naar de film of zo.'

Lisa, Aïsha en Nikki keken haar aan, wachtend op een toelichting.

Monieks blik gleed van de een naar de ander. 'Luister. Nikki zei het laatst ook al: van Kees en haar moeder krijgt ze zo twintig euro als ze Kim in de gaten houdt. Dat is veel meer dan het officieel zou moeten zijn. Lisa kreeg twintig euro, en zou ook niet meer dan vijftien euro betaald hoeven krijgen, toch?'

De anderen knikten.

'Nou, als we alle extra's nou eens sparen in een apart potje? Om te beginnen met die vijf euro extra die Lisa gisteren heeft gekregen. Na een poosje hebben we zo veel dat we er met zijn vieren iets leuks van kunnen doen.'

Het moest even bezinken.

Lisa was de eerste die wat zei: 'Mo, ik vind het niks. Sorry hoor, maar als je geld verdient, mag je het toch zeker wel zelf houden? Eentje heeft ervoor gewerkt en dan gaan anderen er feest van vieren?' Het was wel duidelijk dat Lisa zichzelf bedoelde, ook al knikte ze naar Nikki en Aïsha. 'Ik heb nooit veel geld,' zei Lisa en ze haalde haar schouders op. 'En nou wil jij dat ik dat zomaar weggeef?'

Moniek haalde haar schouders op. 'Ik zeg toch ook niet dat

je al het geld in de pot moet doen? Het is net als fooien in een restaurant: alles in een pot en later gelijk verdelen.'

'Nee, maar wel veel,' barstte Lisa uit. Ze kreeg een kleur. 'Ik heb daar die vieze poepzooi opgeruimd en IK heb dat geld dus dubbel en dwars verdiend. Dat ga ik niet zomaar weggeven. Bovendien krijg ik al zo weinig zakgeld, ik kan dit goed gebruiken.'

Onverwacht kwam Aïsha Moniek te hulp. 'Ik vind het op zich wel een leuk voorstel,' zei ze langzaam, 'maar om alles dat boven het vaste bedrag valt zomaar af te dragen, is misschien een beetje te veel van het goede.'

Dankbaar keek Moniek haar aan. Ze ging verder: 'Stel nou eens dat we straks in de vakantie een keer naar de film willen. Normaal moet je dan altijd vragen aan je ouders of je geld krijgt voor de bioscoop. Het is toch hartstikke tof om gewoon een potje te hebben en dan te zeggen: er zit genoeg in om voor alle vier een kaartje te kopen?'

'Maar daarvoor verdienen we toch juist?' riep Lisa uit.

'Dat weet ik wel, maar wie zegt dat jij niet meteen alles uitgeeft aan een dvd of leuke schoenen of een tas als je genoeg bij elkaar hebt?' Moniek keek haar een beetje uitdagend aan en Lisa voelde haar wangen warm worden. Er lag een beschuldiging in die blik: *sinds wanneer ben jij zo op de centen? Ik wist niet dat jij zo gierig was.*

'Waarom beginnen we niet met een klein bedrag? Als we na iedere keer oppassen één euro in de pot doen, hebben we na een poosje ook aardig wat. En dan heb je toch het gevoel dat je niet alles weggeeft wat je verdiend hebt.' Aïsha sloeg haar ogen neer en verkreukelde het plastic bekertje waar haar thee in gezeten had. 'Ik vind het best een leuk idee. Een potje voor iets extra's.'

Moniek knikte. 'We kunnen ook kijken hoe het allemaal uitkomt en het per drie maanden eerlijk verdelen of zo.'

'Ik doe mee,' zei Aïsha. 'Een euro van mijn eerstvolgende oppasgeld gaat in de pot.'

'Ik zal het wel bijhouden,' zei Moniek prompt.

Nikki knikte. 'Best. Ik doe ook mee. Lies, jij toch ook?'

Lisa kon niet achterblijven. Ze voelde nog steeds de warme vlekken op haar wangen omdat ze het er eigenlijk niet mee eens was. Maar zonder de meiden was dat hele oppassen er niet eens geweest, en dus stemde ze toe. 'Goed dan,' knikte ze met tegenzin, maar ze stak haar vinger waarschuwend op. 'Ik doe mee op één voorwaarde: als je precies krijgt wat er is afgesproken, hoeft het niet.'

Nikki deed haar mond al open, maar Lisa keek haar aan. 'Nee, Nikki, dat is het wat mij betreft. Jij hebt makkelijk praten, ik krijg nauwelijks zakgeld.'

'Ach, je hebt toch ook altijd al geld vanwege je folderwijk?' zei Nikki kattig.

'Weet je hoe weinig ik daarvan overhoud? De helft van het geld dat ik met die stomme foldertjes verdien, gaat direct naar een spaarrekening, dat krijg ik pas als ik ga studeren. Mijn moeder heeft dat zo geregeld. Dus ik heb nooit veel geld. Als er dan geen fooi bij het oppasgeld zit, ga ik er niet ook nog een euro van aftrekken om de pot te spekken. Ik mag het zelf houden, ik hoef het niet op die spaarrekening te zetten, maar ik ga het niet zomaar weggeven alsof ik zat heb.' Lisa keek de anderen uitdagend aan.

Nikki trok met een geïrriteerde blik gaten in haar boterhamzakje terwijl Aïsha vanonder haar lange wimpers schichtige blikken op die twee wierp.

'We gaan hier niet over ruziën, hè?' zei Moniek opeens. 'Anders hoeft het niet, hoor. Het was maar een idee om iets leuks te doen, voor ons vieren.'

'Goed.' Nikki knikte kort. 'Dan doen we het zo. Wat mij betreft is dat prima. Bij extra of fooi: een euro voor de pot, in geval van geen fooi hoeft het niet.'

Een beetje stug knikte Lisa ook. 'Ik heb geen geld bij me, maar morgen neem ik een euro mee.'

Het ijs was weer gebroken. Toen de bel ging omdat de pauze voorbij was, pakten de meiden hun spullen bij elkaar en liepen de aula uit.

'Psst, Lisa...' zei Moniek en ze legde haar hand op Lisa's arm. 'Wacht effe...'

Ze kwam naast Lisa lopen en vroeg zachtjes, zodat de anderen het niet konden horen: 'Heb je ook gezegd dat je hun computer hebt gebruikt?'

Dat was een vraag die Lisa niet verwacht had en met een ruk draaide ze zich naar Moniek. 'Wat? Nee, natuurlijk niet! Ik ben niet gek. Paul was al niet al te blij, dan ga ik niet ook nog zoiets vertellen.'

'Hm. Dan hoop ik voor jou dat hij er niet achter komt,' zei Moniek. Ze nam het trapje dat naar de hal leidde voorzichtig, stap voor stap. Lisa voelde de woede weer oplaaien: waar bemoeide Mo zich mee? Eerst dat gezanik over die fooien en nu dit? Ze wilde al iets zeggen toen Moniek met haar hand wapperde.

'Laat maar, Lisa, sorry dat ik zo zit te drammen. Zeg, heb je nog tips voor me? Binnenkort is het voor mij de eerste keer bij een wildvreemd gezin. Als je nog iets handigs hebt wat ik moet doen... of wat ik níét moet doen...' Er klonk een toon van weerzin in door, die zo grappig was dat de spanning verdween toen Moniek heel diep zuchtte.

Lisa antwoordde met: 'Geen poepkleren in het luxe ligbad laten weken en dan de slappe lach hebben als de heer des huizes binnenkomt.' Moniek grijnsde, maakte een braakgebaar en zei daarna Aïsha en Lisa gedag, omdat die in een ander lokaal moesten zijn. Nikki liep met haar mee en zwaaide nog een keer voordat ze achter Moniek aan de hoek omsloeg en uit het zicht verdween.

'Blijf je wel die foldertjes doen?' vroeg Aïsha aan Lisa.

'Dat weet ik nog niet.' Lisa haalde haar schouders op en sjorde haar tas wat omhoog. 'Met een avond oppassen verdien ik al meer dan met twee middagen foldertjes gooien. Ik heb ook best een lastige wijk, 320 pakketten en veel vrijstaande huizen, dus het kost hartstikke veel tijd.'

'Maar hoef je dat oppasgeld dan niet te sparen van je moeder?'

'Weet ik niet,' bekende Lisa. 'Mam heeft dat niet gezegd. Ik wil best sparen, maar niet alles. Het is ook wel erg leuk om zelf wat geld te hebben. Ik wil het zelf kunnen beslissen.'

Aïsha knikte. 'Ik dacht net precies hetzelfde. Fijn om je eigen spullen te kunnen kopen zonder dat je thuis moet laten zien wat het is.'

Ze liepen het lokaal in en ploften neer aan een tafeltje achter in de klas. Lisa gooide haar etui op tafel.

'Ben benieuwd wanneer ik weer word gebeld.'

'Dat wou ik nog vragen – bellen ze jou nou of toch Moniek?'

Lisa haalde haar schouders een keer op. 'Tja, daar zeg je zowat. Ik heb wel een afspraak gemaakt voor volgende week, maar dat vroeg Janine en toen kon ik meteen ja zeggen.'

'Mo moet het wel allemaal bijhouden, anders weet ze niet of er iemand vrij is. Dus we moeten het in ieder geval altijd doorgeven.'

Ze wilde nog iets zeggen, maar de geschiedenisleraar kwam binnen en riep: 'Koppen dicht!' Lisa geeuwde achter haar hand. Ze zag Aïsha, aangestoken door haar gegaap, precies hetzelfde doen. Ze giebelden. Oppassen of niet – de volgende dag was het toch weer een gewone dag.

'En? Weet je al welke het wordt? Die gele zijn wel supervet. Maar die met die roze streepjes ook.' Nikki hield twee setjes oorbellen op plastic kaartjes voor Lisa's neus omhoog. Ze bungelden vrolijk heen en weer.

'Ik weet het nog niet,' antwoordde Lisa en ze bekeek de oorbellen nog eens extra goed. 'Ze zijn allebei wel leuk maar...'

'Wat nou "maar"? Hartstikke hip en als ik me niet vergis, heb jij twintig euri in je portemonnee!' riep Nikki uit. Ze draaide zich om naar de spiegel en hield het ene kaartje bij haar linker- en het andere bij haar rechteroor. Ze bewoog haar hoofd en liet de oorbellen meewiebelen. 'Misschien koop ík ze wel. Allebei.'

Aïsha wisselde een blik van verstandhouding met Lisa. Makkelijk gezegd als je geld zat had. 'Doe wat je niet laten kan,' zei Lisa luchtigjes. Ze wandelde tussen de rekken met sieraden door. Er hing zo veel leuks tussen, het werd alleen maar moeilijker om te kiezen.

'Wil je niet iets heel anders?' Aïsha pakte een smal zwart sjaaltje met witte nopjes. 'Die zijn ook schattig, toch?'

'Ah bah, nee. Ik hou niet van nopjes. Dan lijk ik op mijn tante Sjaantje.'

Nikki lachte en keek op haar horloge. 'Maak je nou nog een keuze of hoe zit dat?'

'Nee-hee. Ik laat me niet opjagen.' Zo waardig mogelijk stak Lisa haar kin naar voren. 'Een tijd voor alles, en alles op z'n tijd.'

'Tsss. Die is zeker ook van je tante Sjaantje!' spotte Nikki. 'Komt u dan maar, mevróúw. Uw nederige bediende Moniek van der Kluyt zit reeds enige tijd op u te wachten op het overdekte, tevens verwarmde terras in de Heuvel. En als het uwe sjieke hoogheid betaamt, wordt u op de voet gevolgd door de jongedames Yilniz en Veldmaat.' Ze maakte een overdreven diepe buiging en gebaarde naar de klapdeuren van V&D. Een oudere verkoopster met een merkwaardig roze-geel kapsel keek hen zuur aan, toen Lisa een flinterdunne hoed van de plank pakte, die opzette en haar hand opstak. 'Kom, onderdanen. Dit is een plaats voor het gewone volk. Daar horen wij, dames van stand, niet bij!'

Met een zwierig gebaar overhandigde ze de hoed daarna aan Nikki, die hem zonder pardon terug naar de plank slingerde alsof het een frisbee was. De verkoopster werd boos.

'Oeps. Wegwezen,' fluisterde Aïsha.

Giebelend renden ze naar buiten. Het was woensdagmiddag. Vanwege rapportvergaderingen waren er heel veel lessen uitgevallen en met zijn vieren waren ze doorgefietst naar de stad. Het was koud. Hun adem dreef in wolkjes voorbij. Ze hadden allemaal rode wangen en loopneuzen. In de winkels was het natuurlijk weer veel te warm.

'Goed om kou te vatten,' mopperde Lisa, en ze sloeg haar sjaal om.

'Lekker hè, zomaar een paar uur vrij. En je hebt geld om uit te geven, chica!' Nikki was uitgelaten. Zij was de enige die weinig last leek te hebben van de kou. Haar gestreepte sjaal in knalkleuren hing losjes over de panden van haar jas. Lisa huiverde toen ze het open stuk in haar hals zag.

'Doe je jas dicht, gek,' zei ze.

'Ja, ma.'

'Heb je het niet koud?' Aïsha klappertandde. Zij had het heel vlug koud. Op school wilde ze ook nooit in de buurt van een raam zitten.

'Lekker juist. Frisse lucht.' Nikki haalde diep adem. 'Er gaat toch niks boven – gets wat stinkt het hier!' Midden in de grote winkelstraat lag een put open. Lisa en Aïsha lachten.

'Je bent weer eens erg van de hak op de tak, zoals gewoonlijk,' merkte Lisa liefjes op.

Nikki grijnsde. 'Ja, mevrouw.' Ze boog heel diep en maakte er een gek sprongetje achteraan.

'Doe niet zo achterlijk!' siste Aïsha opgelaten toen ze zag dat er mensen naar hen keken. Nikki deed vaak zo maf en Aïsha voelde zich daar soms behoorlijk opgelaten onder. Zoals nu dus. Nikki zwaaide vrolijk naar twee kleine kinderen die haar met open mond aankeken en liep haar vriendinnen daarna met een paar grote passen snel voorbij.

'Zo,' zei ze snel, 'nu hoef je je niet meer voor me te schamen. Ik hoor niet bij jullie. Toedels!' En voordat Lisa of Aïsha nog iets kon zeggen, rende ze opeens voor hen uit, de straat door, McDonald's en de draaimolen voorbij en zo de ingang van de Heuvelgalerie in.

'Wat is het toch ook een halvegare,' grinnikte Lisa.

Aïsha schudde haar hoofd. 'Ik schaam me wel kapot als ze zo doet. Brrr. Het is echt koud. Ik heb zin in warme chocomel met slagroom.'

'Zo slecht voor de lijn,' kreunde Lisa en plots stopte ze. Hé, was dat niet Paul van de Water? Ze kneep een beetje met haar ogen. Het was niet goed te zien. Hij leek er in ieder geval wel op, zo van een afstandje. Toen Aïsha vroeg of er iets was, knikte ze met haar hoofd in de richting van de zijstraat. De man met de lange, donkere wollen jas draaide zich om. Aan zijn arm hing een dame met rood krulhaar dat onder een dikke gebreide hoofdband vandaan piepte. O nee. Vergissing.

'Ik dacht dat ik Paul van de Water zag,' zei ze, 'maar hij is het toch niet.'

'Wie?'

'Die man van dat oppasgezin. Van dat jongetje met die racekak.'

'Getver!' riep Aïsha griezelend. 'Moet je dat nou zo zeggen!

Kom, we gaan naar binnen en ik wil niks meer horen over... over uitwerpselen.'

Lisa fronste. 'Uítwerpselen? Waar haal je dat nou weer vandaan?' Ze keek nog een keer over haar schouder en was het volgende moment door de schuifdeuren van het grote overdekte winkelcentrum. Binnen was het lekker warm.

Aïsha keek in de etalages en wees op een shirtje. 'Leuk. Niks voor jou?'

'Jawel, maar ik heb niet zoveel geld,' antwoordde Lisa bijna automatisch.

'Maar die is toch niet zo duur?' Aïsha wees naar het prijskaartje. 'Veertien euro. Die zou je best kunnen kopen.'

Maar Lisa schudde haar hoofd. 'Nee, ik wil sparen voor een mp3-speler. Dus ik wil maar een heel klein beetje uitgeven, en dan koop ik liever een paar leuke oorbellen.'

Ze liepen de passage door tot ze bij 'Het Bestekje' kwamen, waar rieten stoelen buiten stonden. Moniek had een strategisch plekje op het terras ingenomen en Nikki zat al naast haar. Ze zaten met hun gezicht naar de doorgang, zodat ze het winkelend publiek goed konden bekijken. Lisa plofte in een van de stoelen die Moniek voor hen vrijgehouden had.

'Hè hè,' zuchtte ze vergenoegd.

'Nog iets leuks gekocht?' vroeg Moniek. Ze was vast hierheen gegaan toen ze last kreeg van haar been. Het was druk, Lisa was blij dat Moniek een plek had gevonden.

'Ze kan niet kiezen,' fluisterde Nikki opzettelijk hard. 'Zo rijk is ze.'

'Doe niet zo flauw,' snauwde Lisa meteen. 'Ik kan het maar één keer uitgeven. En dan wil ik wel iets kopen waar ik straks geen spijt van heb.'

'Iedereen kan het maar één keer uitgeven,' zei Nikki onaangedaan. 'Maar relax, chica. Er komt vanzelf iets leuks voorbij.'

Aïsha stootte Nikki aan. 'Over iets leuks gesproken. Daar heb je Michael, Boy en Cas.'

'Cas?' Het was alsof Aïsha een knopje had ingedrukt bij Nikki. Opeens hield ze op met haar gewiebel en gedraai en dook weg in de capuchon van haar jas, waarna ze doodstil bleef zitten.

'Doe niet zo idioot. Je vindt hem toch leuk? Zo kan hij je niet zien,' siste Moniek.

'Je moet naar hem zwaaien,' plaagde Lisa luchtigjes. 'Wat is er? Wat ben je stil, ineens. Net had je praatjes genoeg!' Ze maakte een beweging alsof ze Cas wilde gaan roepen.

Cas zat in dezelfde klas als Nikki. Hij was er vorig jaar bij gekomen en Nikki vond hem erg leuk, hoewel ze heel hard riep dat dat niet zo was als iemand er wat over zei.

'Het is toch best een stuk, hè. Moet je eens kijken wat een leuke kop. Niet mijn type, hoor, maar ik snap wel dat je iets in hem ziet. Zou hij ook wat willen drinken?' ging Lisa onverbiddelijk door.

'Hou op. Niet doen,' kreunde Nikki.

'Zal ik 'm even voor je roepen?' bood Moniek behulpzaam aan.

Aïsha beet op haar lip om niet te lachen.

'Nee! Nee! Nee!' Nikki gleed nog wat verder onderuit in de stoel.

De drie jongens slenterden op hun gemak voorbij.

'Ze hoeven maar één keer op te kijken en ze zien ons meteen,' zei Aïsha.

'Hou nou o-hop,' fluisterde Nikki en ze gluurde langs de pluizige bontrand van haar capuchon. 'Ik ben er niet. Ik hoor er niet bij.'

'Dat zei je net ook al,' zei Lisa poeslief.

Net toen Boy opkeek, verscheen er opeens een mevrouw om hun bestelling op te nemen. Aïsha en Lisa bestelden allebei een chocomel en Nikki thee.

'Gered door de ober,' zuchtte Nikki terwijl ze de jongens nakeek, die steeds verder de passage in liepen.

'Waarom doe je toch zo ingewikkeld? Als je wilt dat hij je
ziet staan, moet je er echt zelf wel wat aan doen,' zei Moniek.
'En je vindt hem leuk, geef het nou maar gewoon toe. Anders
zou je niet zo raar doen.' Ze schraapte het restje suiker van de
bodem van haar kopje koffie. Zij had al een rondje op.

Lisa deed haar mond open om wat te zeggen, toen ze hen
opeens zag. Donkerblauwe, lange wollen wintermantel, sjaal
met groene en grijze streepjes, daarnaast een massa rood
krulhaar en een fuchsiaroze jas. Ze liepen met de armen om
elkaar heen geslagen. Hij zei iets in haar oor en de vrouw
lachte en legde haar hoofd tegen zijn schouder. Vol genegenheid.

De serveerster liep door haar beeld. Lisa knipperde met
haar ogen. Opeens kreeg ze het heel warm. Zag ze hier nou iets
wat ze helemaal niet hoorde te zien? Het terras werd in
tweeën gedeeld door een breed looppad waar winkelende
mensen liepen en verstard staarde ze naar het koppel dat nu
aan de andere kant ging zitten. Ze hadden alleen maar oog
voor elkaar.

'Liz? Is er iets?'

'Lies?'

'Yo! Aarde aan Lisa!'

Met z'n drieën tegelijk keken ze haar aan. Lisa knikte een
keer naar de overkant en keek toen weg, bang om door hem
gezien te worden.

'Niet kijken hoor, maar die man aan de overkant, die nou
net gaat zitten?'

Alle hoofden gingen tegelijk naar het terras aan de overkant.

Lisa siste: 'Kan het nog opvallender?'

Nikki, die haar capuchon weer afgedaan had, boog zich iets

naar voren om wat beter zicht te krijgen op de tafels en stoeltjes aan de overkant en vroeg: 'Met die blauwe jas?'

Lisa knikte heftig. 'Dat is Paul van de Water. Ik dacht net ook al dat ik hem zag.'

'Wie?'

'Die Paul, van het oppassen.'

'Ah, is dat hem nou...' Moniek probeerde weer de andere kant op te kijken maar kon het niet laten en Lisa zag tot haar afgrijzen dat haar vriendinnen open en bloot de andere tafel zaten te begluren.

'Hé, hou eens op! Ik wil niet dat hij mij ziet!'

'Hoezo niet?' vroeg Aïsha. 'Is het zo raar dat hij naar de stad gaat?'

'Dat is zijn vrouw niet!' Het knalde er haast uit en Lisa voelde het bloed naar haar wangen schieten.

Aïsha's mond zakte open. Nikki's ogen werden groot en Moniek trok haar rechterwenkbrauw op. 'Pardon?'

'Dat is zijn vrouw niet. Janine is dikker en heeft donker haar en... nou ja, dat doet er ook niet toe, hoe ze eruitziet. Die vrouw is in ieder geval niet zijn vrouw!'

'Ze zijn wel heel *close*,' zei Aïsha peinzend. Vanonder haar lange donkere wimpers keek ze beurtelings naar de kunstbloemen op tafel en het stelletje aan de overkant. Ze had gelijk en dat was ook precies wat Lisa gezien had. Paul zat heel dicht bij de vrouw met de roze jas, ze raakten elkaar af en toe vol genegenheid aan en deelden grapjes en geheimpjes. Ze zagen er allebei bijzonder gelukkig uit.

'*Close* maar niet klef,' mompelde Moniek. Ook dat was waar. Het was nou ook weer niet zo dat ze elkaar opvraten.

'Nee, wat denk jij?' fluisterde Nikki op een toon van wat-dacht-je-dan. 'Ze gaan hier echt niet midden op het terras een partijtje amandelhockey doen, hoor.'

'Natuurlijk niet. Dat bewaren ze voor thuis.' Aïsha keek het groepje rond. 'Of een hotel, of waar ze elkaar dan ook privé zien.'

Moniek haalde een keer haar schouders op. 'Misschien hebben ze wel zo'n open relatie, Lies. Weet je wel, het omgekeerde van LAT. Living Together Apart, in dit geval.'

Paul gaf de roodharige schone een zoen.

'Ze kussen elkaar! Ze kussen!' Nikki sprong bijna van haar stoel.

Lisa kon er niet bij. Dit klopte toch niet? Ze dook wat verder weg en draaide haar stoel een beetje, maar toch móést ze wel kijken, of ze wilde of niet. 'Ik weet niet of ik dit wel wil zien.'

'Draai je dan om. Valt hier toch niet op, er zitten zoveel mensen met hun rug naar het gangpad,' zei Aïsha. Lisa wierp nog een snelle blik op de overkant en ging verzitten. Het was wel niet zo gezellig, maar ze wist gewoonweg niet hoe ze moest reageren en... O. Ze kon hen nog zien in de weerschijn van een glazen deur. Paul en de rode krullenbol zaten nu in een heel andere richting te kijken en Lisa wist bijna zeker dat hij haar niet kon zien. Ze voelde zich een gluurder. Het was raar om zo te zitten en hen in de gaten te houden. Zoals je in de trein je overbuurman heel goed kunt zien als je in de ruit kijkt. En hij jou ook.

'Beter zo?' Aïsha was zich blijkbaar goed bewust van Lisa's ongemak. Ze knikte.

Een pukkelige jongen bleef onzeker bij hun tafeltje staan met een gevuld dienblad. Hij stond erbij alsof het zijn allereerste werkdag was en hij de drukte op het terras nauwelijks aankon. Nikki wuifde hem ongeduldig opzij en strekte haar nek om Paul van de Water en de vreemde vrouw te zien. In haar ogen blonken lichtjes van opwinding en in een flits besefte Lisa dat het bij haar thuis misschien ook wel zo gegaan was. Nikki's ouders waren immers ook gescheiden. Was ze daarom zo nieuwsgierig?

'Twee warme chocolademelk, een thee en een koffie?' vroeg de jongen met schorre stem. Hij schraapte zijn keel en vroeg het nog een keer. Waarschijnlijk vroeg hij zich nu bezorgd af bij welke tafel hij wél moest zijn.

'Ja, dat is hier,' zei Moniek snel. De ober tilde een voor een de mokken en kopjes van het dienblad. Hij was zo gespannen dat de kopjes op de schoteltjes rammelden en er een grote klots koffie over de rand ging.

'Pardon,' hakkelde hij en hij probeerde met een smoezelig doekje het schoteltje schoon te maken. Het werd er niet beter op. Er gutste nog meer koffie uit het kopje toen hij het op het schoteltje terugzette en het einde van het verhaal was dat hij van pure zenuwen vergat dat er al van alles op tafel stond en pardoes een van de mokken chocolademelk omstootte.

Lisa gaf een gil toen de inhoud van de mok over haar schoot ging. 'Au! Dat is heet!' Met een hoop gekletter van porselein gingen de kopjes en de mokken over de tafel. Met een woeste beweging deinsden de vriendinnen achteruit en botsten daarbij tegen andere gasten aan, die verstoord opkeken of zelf moeite moesten doen om niet te morsen met hun drankje. Stoelpoten schraapten over de tegels als nagels over een schoolbord. Kreten klonken over het terras.

Lisa dacht maar één ding: *als hij me maar niet ziet.* Het lawaai trok natuurlijk de aandacht van iedereen. Binnen een paar tellen zou Paul van de Water opkijken en haar herkennen. Hoe moest ze dan reageren?

'O... o... o! Het spijt me vreselijk... ik... o, wat erg... sorry, doet het...' De piepjonge ober werd zo rood als een biet en probeerde onhandig Lisa te helpen en op hetzelfde moment de puinhoop op de tafel te lijf te gaan. Besluiteloos gingen zijn handen van de tafel omhoog en terug.

'Laat maar, ik doe het zelf wel!' zei Lisa kortaf. Ze sprong op, hield de stof van haar broek tussen duim en wijsvinger van haar been en strompelde 'Het Bestekje' in, waar ze meteen doorliep naar de wc. Wat een ellende. Alles zat onder de chocodrab en de natte plek werd steeds kouder. Met afschuw voelde ze de chocolademelk door de stof dringen en over haar blote been naar beneden glijden.

'Is er iets niet in orde? Wat is er aan de hand daarbuiten?' vroeg een forse man die achter de bar stond en in de weer was met een cappuccinoapparaat.

In plaats van hem antwoord te geven liep Lisa zo snel mogelijk door naar de toiletten. Tientallen ogen prikten in haar rug. In het toilet rukte ze een stel papieren zakdoekjes uit de houder en probeerde met water de ergste troep een beetje van haar kleren te krijgen. Nooit geweten dat chocolademelk zo plakkerig en stroperig was.

Er werd kort op de deur geklopt en de barman stapte naar binnen. 'Jongedame? Wat is er gebeurd?' Hij pakte de theedoek die over zijn schouder hing en gaf hem aan haar. 'Doe dat maar hiermee. Dat papier is niet echt handig.'

'Er ging een beker chocolademelk om,' zei Lisa. Ze maakte een punt van de theedoek nat en bewerkte haar broek ermee.

'Hoe kwam dat dan?' vroeg de forse man.

'Door die ober,' mopperde Lisa. 'Onhandige...' De rest slikte ze in. Het deed er ook niet toe, hij had het niet met opzet gedaan.

'Jurgen?'

'Die met die pukkels. Ik weet niet hoe hij heet, maar laat ook maar. Het was gewoon een stom ongeluk.'

'Luister, als dit komt door iemand van het bedienend personeel en als er kosten verbonden zijn aan het schoonmaken, moet je het gewoon zeggen,' zei de man vriendelijk. 'Jurgen is nieuw, het is zijn eerste week. Kom maar even mee naar de keuken, daar is warm water, dat gaat beter.' Hij stak uitnodigend zijn hand uit en met een diepe zucht van frustratie volgde Lisa hem naar een kleine, keurige keuken. Een vrouw stond eieren te bakken en twee borden met brood en garnituur stonden al klaar.

'Het is nog niet klaar, hoor,' zei ze, en ze zag toen dat haar man niet voor de bestelling kwam. 'O, wat is... hallo. Wat is er gebeurd?'

'Ongelukje op het terras. Waarmee haal je chocomel uit je kleren?' vroeg de barman.

'Met de wasmachine,' kwam het kordate antwoord. 'Hoi. Zo, dat ziet er niet goed uit. Een hele mok zeker?'

Lisa knikte. Voordat ze iets kon antwoorden, zei de barman: 'Jurgen stootte de boel om.' Hij klonk niet blij.

Opeens voelde Lisa zich bijna verplicht om die Jurgen te hulp te komen. Ze haalde haar schouders op. 'Kan gebeuren, gewoon stomme pech. Hij deed het niet expres.'

'Nee, dat moest er nog bij komen. Hij moet beter opletten,' viel de man haar in de rede en hij draaide de warme kraan open.

'Weet je wat?' zei de vrouw. 'Jo, hou jij even de eieren in de gaten, dan haal ik een andere broek van boven.'

'Maar...' begon Lisa.

'Hoe heet je? Lisa? Nou Lisa, met zo'n natte broek kun je niet over straat. Het is veel te koud. Voor je het weet heb je een blaasontsteking. Je kleedt je gewoon even om, en dat vieze goed laat je hier. Morgen kun je het ophalen, schoon en wel. Ik ben zo terug, momentje.' En voor Lisa nog iets kon zeggen, was de vrouw al verdwenen door een deur waarachter een smalle trap naar boven zichtbaar was.

Er werd zachtjes op de keukendeur geklopt en Jurgen kwam binnen, op de voet gevolgd door Aïsha. De jongen keek doodongelukkig en zag eruit of hij elk moment kon verschrompelen.

'Goedemiddag,' zei Aïsha beleefd tegen Jo, die nu bij de

kookplaat was gaan staan. 'Hoe gaat het, Lisa? Krijg je het er een beetje uit?'

Lisa schudde haar hoofd en liet de grote kletsnatte plek zien. De man keek Jurgen geërgerd aan. 'Dat heb je fijn voor elkaar, Jurgen.'

'Niet zo mopperen,' hoorde Lisa zeggen vanuit het trappenhuisje achter de keuken. 'Zoals Lisa al zei: dat deed hij niet expres.' De vrouw kwam weer de keuken in en stelde zich voor als Merel. In haar handen droeg ze een stapeltje netjes opgevouwen kleren. 'Dit zijn een paar broeken van mijn zoon. Jullie zijn ongeveer even groot, dus kijk maar even of er iets tussen zit. En trek ook maar een ander shirt aan, want het jouwe zit ook vol spetters.' Ze duwde de stapel in Lisa's handen en gebaarde naar een deur. 'Je kunt je omkleden in de voorraadkamer. Dat is daar.'

Lisa schoot het volgestouwde hok in en trok huiverend haar natte broek uit. Ze haalde haar neus op. Ze had nooit eerder gemerkt dat chocolademelk zo overweldigend zoet rook dat je er bijna misselijk van kon worden. De kakikleurige broek die Merel haar had gegeven, was wijd met grote zakken.

'Briljant,' mopperde Lisa. 'Van alle broeken die er zijn, krijg ik uitgerekend zo'n skaterbroek waar geen model in zit.' Maar model of niet: hij paste wel. Hij zakte een beetje af, maar Lisa vermoedde dat dat zo hoorde. Het shirt met lange mouwen vond ze echt iets voor een jongen: grauw blauw met een onduidelijke grijze opdruk. Maar het rook allemaal fris en zag er schoon uit.

'Oooo...' Ontzet keek ze naar haar laarsjes. Haar mooie lichtbruine suède laarsjes! Op de linker zat een hele grote vlek.

'Lukt 't?' riep Aïsha.

Lisa stapte de voorraadkamer uit, hijsend aan de broek die omlaag zakte. Merel kwam meteen kijken en pakte de met chocolademelk besmeurde spullen aan.

'Zo, dat ziet er beter uit. Het past wel, hè?' Toen zakte haar blik omlaag. 'Och, je schoenen! Ook al!'

Jurgen was verdwenen, zag Lisa. Ze vroeg zich af of hij de zak had gekregen. Dat hoefde van haar nou ook weer niet, maar hoe moest het met haar laarsjes? Die waren pas nieuw en zo konden ze meteen de vuilnisbak in!

Merel zag haar gezicht en begreep blijkbaar wat Lisa dacht, want ze zei: 'Maak je maar geen zorgen, dat maken we in orde. Geef me een dagje om je spullen te wassen en als je terug komt, breng dan je laarzen mee. Dan zal ik kijken of er wat aan te doen is.'

Merel pakte een notitieblok en liet Lisa haar naam en adres opschrijven. 'Voor zulke dingen zijn we verzekerd, dus het komt best in orde. Hoe laat kun je hier morgen zijn?'

'Eh...' Ze keek een beetje hulpeloos naar Aïsha. Hoe laat waren ze uit?

'Rond een uur of drie,' hielp Aïsha haar.

'Dan liggen je spullen klaar. Vraag maar naar mij, mijn naam is Merel ten Have.'

'Goed. Eh, dank u wel voor de kleren. Nou, dan gaan we maar. Ga je mee, Aïsha?' Lisa knikte de vriendelijke vrouw gedag en liep naar Aïsha de keuken uit.

'Gaat het?' vroeg Aïsha een beetje bezorgd.

'Ik voel me niet echt lekker in deze kleren,' zei Lisa met een diepe zucht. Ze rilde. 'En ik heb het koud.'

'Je ruikt helemaal naar waspoeder,' zei Aïsha met een lachje. 'Ze zijn in ieder geval wel schoon. Die meneer kwam trouwens net al een nieuwe bestelling brengen. Rondje van de zaak.'

Op dat moment herinnerde Lisa zich weer dat ze Paul van de Water had gezien en schichtig keek ze naar de overkant, klaar om weg te duiken om hem te ontwijken. Maar er zaten nu andere mensen aan het tafeltje waar hij net had gezeten.

Met zijn vriendin. Zijn scharrel. Of wat ze ook was. Toen ze weer ging zitten, zag ze dat er inderdaad een nieuw rondje drinken op tafel stond – hetzelfde als net, maar nu zonder voetbaden en scherven. Een schaal petitfourtjes stond ernaast.

'Hai,' zei Nikki. 'Wauw, stoere broek. Da's meer iets voor mij.'

Moniek gaf haar een vermanende duw. 'Doe niet zo lomp. Gaat het? Hoe kom je aan die kleren?'

Snel vertelde Lisa wat er in de keuken was gebeurd en eindigde door met een gepijnigd gezicht aan de mouwen van het shirt te plukken. 'Dit is niks voor mij.'

'Maar wel beter dan met die natte kleren rond te moeten lopen,' zei Aïsha. 'En toch hartstikke aardig van die mevrouw dat ze zomaar kleren voor je haalt? Voor hetzelfde geld had je in de vieze spullen naar huis gemoeten.'

Nikki knikte. 'Helemaal waar. Trouwens, het staat je goed, hoor.'

'Niet waar, ik zie eruit als een foute rockchick! Skatekleren en roze oorbellen en puntlaarsjes met vlekken. Het is natuurlijk wel erg aardig van die mensen, maar het voelt gewoon een beetje gek. Ik kan de chocomel trouwens nog steeds ruiken. Ik drink die zoete troep nooit meer. Bah, ik werd er haast misselijk van.'

'Zal ik de jouwe dan maar opdrinken?' bood Nikki aan.

Lisa maakte een gebaar dat ze haar gang kon gaan – ze had écht geen zin meer in chocolademelk. 'Hebben jullie Paul nog weg zien gaan?'

Moniek knikte. 'Een paar minuten geleden. Met de rode krullenbol knusjes aan zijn arm.'

'En die jongen, die Jurgen?'

'Niet meer gezien,' zei Moniek hoofdschuddend en Nikki deed hetzelfde.

Lisa zuchtte een keer diep. Natuurlijk had Aïsha gelijk – het wás ook tof dat Merel spullen voor haar had en dat ze de schade aan Lisa's laarzen ook zou vergoeden. Uiteindelijk kwam het toch allemaal vast wel goed. 'Nik, je hebt een slagroomsnor. Zullen we nog verder gaan?' vroeg ze.

Nikki likte aan haar bovenlip, keek op haar horloge en schudde haar hoofd. 'Dat is niet de moeite meer, ik moet om kwart over vijf thuis zijn. Mag je die kleren houden?' Ze keek vergenoegd naar de skateroutfit.

'Nee, ben je gek?'

Toen Aïsha, Nikki en Moniek hun drankjes op hadden en hun jassen aantrokken, kwam Jo, de eigenaar, nog naar hen toe.

'Ik zie dat je wat spullen aan hebt van Tijn? Een van mijn zoons. Zeg, nogmaals sorry. Jurgen is even een paar boodschappen doen, dus ik zeg het maar in zijn plaats. En het drinken is op kosten van het huis.'

Een beetje verontschuldigend keek Lisa naar haar nog halfvolle mok. Nikki had het natuurlijk ook niet meer opgekregen na twee koppen thee. 'Dank u wel, voor de kleren en hiervoor. Het was alleen een beetje veel, ik kon het niet op.' Het kwam er vlot uit. Lisa kon toch moeilijk zeggen dat ze een beetje misselijk was geworden. Dat was wel heel ondankbaar nadat Jo en Merel zo veel moeite voor haar deden.

Jo knikte. 'Wel thuis. En tot morgen misschien,' zei hij en hij draaide zich om om weer aan het werk te gaan.

Het schemerde al toen ze buitenkwamen en de koude okto-berlucht in hun gezichten blies.

'Shit, het is al bijna donker!' riep Nikki en ze wikkelde haar sjaal om haar nek. 'Ik heb vanavond extra vroeg training! Kom op, girlz, doorlopen!' Ze stak haar arm door die van Moniek en begon aan haar te trekken.

'Niet zo vlug,' zei Moniek waarschuwend. 'Dat jij aan da-mesvoetbal doet, wil nog niet zeggen dat ik het kan.'

Aïsha rilde en trok haar handschoenen aan, en Lisa zocht naar haar fietssleuteltje, toen er plotseling een jongen voor haar opdook en een paar stappen naar haar toe zette. Het was alsof hij uit de grond omhoog was geschoten.

'Lisa!'

Lisa schrok zich wild. Het duurde een paar tellen voor het tot haar doordrong dat het die Jurgen was.

'Wat...? Jee, ben jij het! Ik schrik me rot!' Lisa deed een pas naar achteren. Moniek en Nikki stopten en draaiden zich om. Aïsha kwam naast haar staan.

'Ik wil alleen even... sorry... Ik wil zeggen dat ik zo stom... en... het spijt me verschrikkelijk... K-k-k-kan ik iets doen om...' Jurgen hakkelde vreselijk en het werd per woord erger. Lisa wist niet voor wie het pijnlijker was: voor hem of voor haar om naar te moeten luisteren.

'Het is al goed, hou er nou maar over op.' Lisa stak haar arm door die van Aïsha. 'Kom, we gaan.'

'Lisa, sorry... Ik weet dat ik... Je mag niet weggaan.' Hij zet-te snel een stap naar voren en versperde haar de weg. Het was alsof hij haar wilde dwingen naar hem te luisteren.

'Het is al goed, Jurgen!' herhaalde Lisa. 'Mag ik erdoor, als-jeblieft?'

'Het was een ongeluk...! Ik ben ook zo'n...'

'Ja, dat weet ik en laat me er nou door, Jurgen.'

Jurgen keek steeds ongelukkiger. 'Je snapt het niet... het is zo dat...'

'Ik heb toch gezegd dat het niet erg is?'

'Maar dat is het wel en... en... als er iets is wat ik voor je...'

'Luister eens, ik heb nou al drie keer gezegd dat het niet erg is. Het was een ongelukje en dat kan gebeuren,' zei Lisa een beetje vinniger. Hij luisterde voor geen meter. En hij had een hele rare manier van naar haar kijken: zijn blik bleef onafgebroken over haar gezicht glijden.

'Weet je... ik ben nog niet zo... eh... ik heb nog nooit eerder, ik bedoel, dit is...'

Lisa wilde dat hij opzij ging.

'Jurgen, ik moet gaan, hoor.'

'Wacht! Ik wil je nog zeggen dat... dat...'

Lisa's geduld was op. Het was best te begrijpen dat hij het vervelend vond wat er gebeurd was – dat was het ook. Maar hij had het nu wel duidelijk gemaakt. Ze wierp een heimelijke blik op haar vriendinnen.

Nikki pikte het op, onderbrak zijn gestamel, reikte voor hem langs en greep Lisa's mouw. 'Sorry, Jurgen. We moeten gaan.'

Lisa klemde Aïsha's arm steviger vast en drong langs hem heen. 'Nou ja, zeg,' fluisterde ze tegen Aïsha. 'Staat me hier gewoon op te wachten.' Vlug liepen ze weg van de Heuvelgalerie in de richting van de fietsenstalling.

'Wat een rare, hij ging maar door,' zei Aïsha. Ze wierp een blik over haar schouder. 'Hij staat er nog. Hij kijkt je na.'

Nikki legde haar hand op Lisa's arm. 'Zou dat een zoon zijn van die eigenaar? Misschien heb je zijn kleren wel aan!'

Lisa's neus rimpelde. 'Iew! Gelukkig niet!'

Ze sloegen de hoek om en kwamen bij een lange rij fietsrekken. Lisa haalde haar fiets van het slot en zette het licht aan. Opeens had ze de balen van alles. Wat een stom einde van een gezellige middag! Ze had zich er zo op verheugd om iets leuks uit te zoeken en het was op het terras ook heel gezellig geweest, totdat opeens Paul van de Water met die vreemde vrouw binnenkwam en daarna gooide die sukkel die mok om... In gedachten verzonken trapte ze naast Moniek voort. Hoe zou dat zitten met Paul van de Water en die vrouw? Hij hield er een liefje op na, dat was wel duidelijk.

Misschien was het wel zoals Moniek zei: hadden ze een open relatie waarin alles bespreekbaar was. Toch vond Lisa het niet kloppen. Ze was dan misschien ouderwets, maar dat deed je toch niet? Ze wist zeker dat zij zoiets nooit zou doen. Als zij verkering kreeg, dan was het alleen die ene en niemand anders.

'Ben je niet benieuwd naar die Paul?' vroeg Moniek alsof ze haar gedachten raadde.

'Hij weet niet dat ik het weet,' antwoordde Lisa. 'Toch? Hij heeft me toch niet gezien?'

Moniek schudde haar hoofd. 'Volgens mij niet. Het lijkt me wel raar als jij daar de volgende keer bent en hij doet de deur open en ze doen zo heel liefjes tegen elkaar.'

'Ik wou dat ik het niet gezien had. Ik reageer vast heel raar of ik krijg weer een rooie kop...'

Achter haar riep Nikki luidkeels over het lawaai van het verkeer heen: 'Je kunt het altijd nog gebruiken om 'm te chanteren! Veel poen voor het oppassen, anders zeg ik het tegen je vrouw! En dan schakel je die Jurgen in om je te beschermen als hij je iets aan wil doen.'

Ze lachten allemaal, maar Lisa merkte dat ze het niet van zich af kon zetten. Nikki kon er dan wel grappen over maken, Lisa kreeg er een drukkend gevoel van op haar borst. Zonder het te willen was ze deelgenoot geworden van een geheim en opeens zag ze er vreselijk tegen op om weer naar het huis van de familie Van de Water te gaan. Hoe kon ze die Paul ooit recht in de ogen kijken? En Janine? Lisa had dan wel niks gedaan, maar ze voelde zich op een rare manier schuldig. Alsof het feit dat ze wist dat Paul een vriendin had, haar ook een bedrieger maakte.

De avondspits was al begonnen en lange rijen auto's kropen door het centrum en doorboorden met hun felle koplampen de avond. Op de fiets kwamen de meiden veel vlugger vooruit dan al die automobilisten. Met Moniek had Lisa het nog over school, om haar gedachten een beetje af te leiden, en ze bespraken een aardrijkskundeproefwerk en een leuke lerares van biologie. Een minuut of twintig later waren ze op het punt waarop iedereen zijn eigen weg ging.

'Kom je zaterdag naar mijn voetbalwedstrijd kijken, Liz?' vroeg Nikki. Er werd meteen gelachen. Het was een standaardgrap, eentje voor insiders. Lisa begreep niets van Nikki's voetbalmanie. Ze zaten samen bij streetdance en die passie deelden ze, maar dat Nikki dan ook nog voetbalde... Steevast vroeg Nikki als ze een thuiswedstrijd moest spelen of Lisa kwam kijken, en het antwoord van Lisa was ook altijd hetzelfde. Vandaag was dat niet anders: 'Ja hoor. Maar ik moet eerst...'

'...mijn kamer opruimen!' vulden Moniek en Aïsha in koor aan. Nikki grinnikte, zwaaide gedag en sloeg links af. Moniek reed met haar mee, ze woonden in dezelfde straat. Aïsha reed een stukje door en Lisa ging naar rechts.

Morgen moet ik weer terug naar de stad, dacht ze toen ze de poort opendeed. *Maar nu eerst onder de douche en lekker mijn eigen kleren aan!*

Voor de tweede keer die week liep Lisa de Heuvelgalerie in. Het was een stuk minder druk dan op woensdagmiddag. Geen joelende groep-achters of jengelende kleuters die meegesleurd werden door hun moeders. Het was zelfs stil. De rubberzolen van Lisa's gympen piepten een beetje op de gladde tegels.

Lisa droeg twee plastic tassen: in de ene zaten de opgevouwen kleren die ze gisteren te leen gekregen had, in de andere haar laarsjes. Ze waren echt bedorven. Zo lelijk met die vieze vlek erop! Vanochtend zag ze dat ze toch allebei nat waren geworden. Bij de linker viel het erg op omdat het over de hele bovenkant van de laars zat, maar ook de rechter had een paar kleine, lelijke plekken. Zonde!

Ze dacht aan haar ouders die gisterenavond heel verschillend hadden gereageerd. Haar vader keek een beetje meewarig naar haar kleren toen ze binnenkwam en vroeg of dat de nieuwste mode was. Haar moeder had gezegd dat die Jurgen haar maar moest betalen voor de schade aan haar laarzen en als hij dat niet wilde, zou zij zich er wel mee bemoeien. 's Avonds had Merel ten Have gebeld en met haar vader gesproken, die daarna een beetje vaag had gedaan en had gezegd dat het allemaal geregeld werd. Nou ja, hoe dan ook – de kleren moesten terug en ze wilde haar eigen spullen weer hebben. Het was jammer dat ze alleen moest. Moniek gaf wiskundebijles aan brugklassers, Nikki moet oppassen op haar kleine zusje en Aïsha had een verjaardag. Niet dat Lisa zich niet kon redden, maar toch... Al was het maar om naar de stad te fietsen.

Er stond een jongen (gelukkig, niet Jurgen!) achter de bar, op dezelfde plek waar gisteren Jo met het cappuccinoapparaat bezig was geweest. Lisa kuchte zachtjes. 'Eh... is Merel ten Have er ook?'

De jongen keek op. Zóóó... registreerde Lisa. Die zag er leuk uit. Dik zwart haar, volle wenkbrauwen, de blauwste ogen die ze ooit gezien had en een lach waar ze vlinders van in haar buik kreeg.

'Wie kan ik zeggen?' vroeg hij.

'Eh...' Lisa voelde de vlammen uitslaan. 'Eh...'

'Ja?' Behulpzaam knikte hij waarbij hij zijn hoofd een beetje naar één kant liet gaan.

'Lisa Bomans,' zei ze toen vlug. 'Ik kom mijn eh... kleren ophalen en eh...' Help! Het leek wel of er stroop in haar mond zat. Ze stak haastig een van de tassen naar hem uit. 'Dit is van haar. Ik bedoel, die heb ik gisteren geleend en ik kom ze terugbrengen.' Hè, dat klonk al iets beter!

De jongen lachte en nam de tas aan. Nieuwsgierig keek hij erin en viste toen verbaasd een laarsje uit de zak. 'Is die van mijn moeder? Die heb ik nog nooit gezien!'

'O nee!' riep Lisa uit. 'Verkeerde tas. Dat is mijn laars. Deze moet je hebben!'

Opnieuw lachte hij. Zijn ogen sprankelden als sterretjes. 'Ah! Mijn favoriete broek. Mam zei al dat ze die uitgeleend had. Dus jij bent het meisje dat door Jurgen bekogeld is met warme chocomel?'

'Chocomel mét slagroom,' floepte Lisa eruit. Jee, waarom zei ze dat nou weer? Dat klonk zo stom! Maar hij vond het blijkbaar heel grappig want hij lachte vrolijk.

'Dat zal wel lekker vies zijn geweest. Loop maar even mee,' wenkte hij en hij ging Lisa vóór naar achteren. In het nu bekende keukentje zat Merel aan tafel met de telefoon in haar hand dingetjes op een lijst aan te vinken. Ze gebaarde naar een stapeltje kleren dat klaarlag op een plank naast de deur.

'Hier, gelijk oversteken,' zei de jongen en hij gaf haar de stapel kleren. Het zag er weer schoon en netjes uit. Lisa had opeens een beetje spijt dat ze zijn spullen ook niet even had gewassen. Maar dat was onzin, haar had moeder gisterenavond gezegd. Dan zit je alleen maar elkaars was te doen, en dat is flauwekul. Dus had Lisa de broek en het shirt netjes opgevouwen en in de zak gestopt.

'Ik ben Tijn, maar dat had je vast al begrepen, en je had mijn kleren aan,' stelde hij zich voor. Opeens leek gisteren allemaal niet zo erg. Ze had rondgelopen in kleren van een erg leuke jongen!

'Lisa, hallo. Ik ben zo bij je, even mijn telefoontje afronden,' fluisterde Merel opeens met haar hand over de hoorn.

Tijn knikte naar haar. 'Ik moet terug naar de bar, anders is er niemand voor,' zei hij. 'Bedankt voor het terugbrengen.'

'Bedankt voor het lenen,' zei Lisa snel. Tjonge, wat klonk ze weer overtuigend. Tijn grijnsde nog een keer naar haar en liep toen de keuken weer uit.

Een minuut later hing Merel op en nam de zak met de laarzen van Lisa over. 'Ik heb gisteren zestig euro overgemaakt naar de bankrekening van je ouders, zoals afgesproken,' zei ze. 'Dat claim ik weer bij mijn WA-verzekering en dan is het afgerond.'

'Zestig euro?' echode Lisa verbaasd.

'Je vader zei dat ze dat hebben gekost. Niet dan?' Merel hield haar hoofd een beetje scheef. Precies zoals Tijn ook deed.

'Nee. Ik bedoel ja, dat klopt wel, maar hij heeft me dat helemaal niet verteld.' Lisa was een beetje uit het veld geslagen. Waarom zei haar vader dat nou niet gewoon?

'Toen ik belde lag je al in bed, zei hij. Misschien daarom. Mag ik die laarzen hier houden voor de verzekering? Als je wilt krijg je ze terug, hoor.' Lisa knikte en nadat ze haar eigen kleren in haar tas had gedaan, zei ze Merel gedag en liep terug naar de zaak. Waar was Tijn? Er stond niemand achter de bar. Was hij misschien aan het bedienen op het terras?

'Lisa?' Ze schrok op uit haar overpeinzingen en keek recht in een enorme bos prachtige bloemen. Een tel was ze verrukt, totdat ze zag dat het hoofd van Jurgen erachter stak. Was hij daar nou al weer? 'Dit is voor jou.' Hij drukte onhandig het boeket in haar handen.

'O. Eh... dank je wel,' zei ze een beetje overrompeld.

'Je ziet er leuk uit. Mooie kleren. Ik bedoel eh... gisteren was je ook mooi en... eh...' Zijn ogen leken wel aan haar vastgekleefd te zitten. Ze voelde zich opgelaten onder zijn starende blik.

Lisa wist niet wat ze moest zeggen. Jurgen ook niet meer. Verlegen met zichzelf wiebelde hij van zijn ene voet op zijn andere.

'Nou, bedankt,' zei Lisa abrupt en ze draaide zich om. Wegwezen. Rare snijboon.

'Lisa!' riep hij opeens. 'Ik wil je nog wat vragen... eh... Heb je zin om een keer... eh...'

Jeeminee! Kon die jongen nou niks zeggen zonder dat gestamel? Niet dat Lisa nou zo zelfverzekerd was, maar hier kreeg ze de kriebels van.

'Wat is er? Ik moet naar huis,' zei ze kortaf. Ze was zich erg bewust van die bruine ogen die haar aanstaarden. Het leek wel of ze niet bij zijn lichaam pasten. Alles aan hem was houterig, maar in die ogen smeulde iets onheilspellends.

'Wil-je-een-keer-met-mij-naar-de-film?' zei Jurgen houterig en hij werd opnieuw rood en vlekkerig.

Wat? Het ging zo snel dat Lisa hem niet eens goed kon verstaan. Vroeg hij nou of ze meeging naar de film?

'Ik zou graag... Mag je van je ouders met mij...'

'Nee, ik mag niet zomaar naar de film,' antwoordde Lisa. Ze zette een paar stappen bij hem vandaan. De bloemen hingen als een loden gewicht in haar handen.

'Maar dan z-z-zal ik ze bellen en... dan vraag ik... of jij vraagt... maar misschien wil je...'

Jee! Lisa kreeg het er benauwd van. Snapte hij nou echt niet dat ze niets van hem hoefde te hebben? Dat ze niet met hem naar de film wilde? Ze schudde haar hoofd en probeerde zijn gestaar te weerstaan. 'Nee, dat lijkt me geen goed idee.'

'Heb je zin in k-k-koffie of thee of wil je liever... ik bedoel... je bent zo'n mooi meisje en...'

Waar sloeg dat nou op? Tot haar schrik stak hij zijn hand uit om haar haren te strelen. Wat wás dit voor een rare knul? Ze deinsde achteruit. 'Sorry. Ik moet echt gaan,' zei ze stug en ze liep zo snel mogelijk weg, Jurgen achterlatend voor het terras. Ze keek naar de bloemen en toen ze de Heuvelgalerie uitliep duwde ze het boeket in de handen van de eerste de beste vrouw die ze tegenkwam. Die keek haar stomverbaasd aan, maar Lisa merkte het maar half. Ze haastte zich naar haar fiets en keek over haar schouder. Hij zou toch niet weer achter haar aankomen, net zoals gisteren? Ze hanneste met haar fietssleutel en haar schooltas en de plastic tas met kleren.

'Lisa?'

'Ga weg!' riep ze geschrokken en ze draaide zich woest om. 'Laat me met rust!'

Maar het was Jurgen niet. Het was Tijn.

'Ho, rustig maar! Ik ben het! Ik zag dat je wegrende voor Jurgen. Heeft hij iets gedaan?' Bezorgd keek hij haar aan.

Lisa slikte de angst weg en schudde haar hoofd. Ze merkte dat ze beefde. 'Nee, maar hij is zo opdringerig. Gisteren stond hij hier ook al en toen wilde hij me niet laten gaan, en nou weer...'

'Ik loop wel even met je mee,' bood Tijn aan. Hij keek om zich heen. Geen Jurgen. 'Ik kijk je na totdat je uit het zicht bent. Als Jurgen achter je aanzit, zie ik dat ook. Maar ik denk het niet hoor, want hij heeft nu dienst. Waarschijnlijk zit hij op de wc van de zenuwen want als er iets fout gaat duikt hij altijd meteen de plee in. De schijterd. Mag ik je nul-zes? Dan bel ik je dadelijk even.'

Opgelucht haalde Lisa adem. Haar handen trilden en ze balde haar vuisten om het gevoel weg te krijgen. 'Stom, hè? Ik raakte een beetje in paniek.' Ze gaf hem haar mobiele nummer en hij belde haar een keer. In haar jaszak ging haar telefoon over.

'Zo, die doet het. Geeft niks,' zei Tijn met een lachje. 'Hij is ook een rare. Het is een neef van me, geloof je dat? Mijn moeder vindt hem zielig en wil hem een kans geven.'

'Hij vroeg of ik mee naar de film wilde, geloof ik. Maar daar zit ik nou helemaal niet op te wachten,' zei Lisa hoofdschuddend.

'Hij heeft dat echt gevraagd? Tsss. Hij is altijd zo verlegen als de pest,' zei Tijn verbaasd.

'Nou, hij hield anders behoorlijk aan,' zei Lisa.

'Dan zal hij wel echt iets in je zien,' concludeerde Tijn met een knipoog.

Lisa trok haar sjaal wat vaster. Ze had echt geen enkele belangstelling voor die Jurgen. Misschien was het wel dapper dat hij zijn verlegenheid de baas probeerde te zijn, maar dat moest hij dan maar bewaren voor iemand anders. Bovendien waren volhouden en opdringerig zijn iets heel anders. 'Jammer dan, hij is niet mijn type.'

Tijn stond in de koude buitenlucht, in een dun zwart T-shirt en met een wit schort van het eetcafé omgeknoopt, en op zijn armen verscheen kippenvel. 'Ik moet terug naar binnen,' zei hij, 'maar ik zal even wachten tot je weg bent.' Hij boog zich naar haar toe en gaf haar een snelle kus op haar wang. 'Ga maar gauw.'

Een kus!

'Waar zijn die bloemen trouwens?' vroeg hij toen ze opstapte.

'Weggegeven aan een mevrouw,' riep Lisa zachtjes en ze fietste toen zo snel mogelijk weg. Ze hoorde hem lachen. Haar maag buitelde in haar buik. Ze keek nog een keer achterom, zwaaide naar Tijn die haar zoals beloofd nakeek, en reed toen naar huis. Hoe was het mogelijk! Het ene moment werd ze door een halvegare benaderd en het volgende ogenblik lag ze in de armen van een ontzettend knappe jongen!

Nou ja, 'in de armen van' was misschien een beetje veel gezegd, maar het was een feit dat hij haar te hulp was geschoten. Een neef van die gekke Jurgen? Het was dat hij het zelf verteld had, anders had ze het nooit geloofd.

En hij had haar gekust. Haar! Hij had háár gekust. Een echte kus! Haar hand gleed over haar koude wang heen. Ze fluisterde zijn naam voor zich uit. 'Tijn... Tijn... Tijn...'

Dat was nog eens andere koek!

Lisa drukte op de bel. Wie zou er opendoen? Paul of Janine? En kon ze net doen of ze van niks wist? Of zou ze Pauls blik niet kunnen verdragen en dichtklappen als een oester?

De afgelopen dagen had ze niet veel aan de familie Van de Water gedacht. Andere zaken hadden haar aandacht. Andere zaken, oftewel Tijn. Ze kon hem niet uit haar hoofd zetten en steeds opnieuw betrapte ze zichzelf erop dat ze aan hem dacht. Hij had haar al gebeld. Ze hadden elkaar toegevoegd op Hyves. Ze hadden gechat. Zoals hij beloofd had, had hij haar gebeld, zo'n tien minuten nadat ze bij de Heuvelgalerie weggefietst was. Jurgen was aan het werk, had hij haar gezegd en daarna hadden ze een beetje gekletst. Af en toe viel hij weg of kon Lisa hem niet verstaan door het voorbijkomende verkeer, maar het was duidelijk dat hij haar leuk vond. Dat was Lisa niet gewend. Jongens hadden over het algemeen niet zo veel interesse in haar. Andersom was dat ook zo. Als ze al in iemand geïnteresseerd was, had hij al een vriendin, en als iemand haar leuk vond, was het zo'n *weirdo* als die Jurgen.

Ze was zo in gedachten verzonken dat ze schrok toen de deur opeens openging en ze recht in het gezicht keek van...

De roodharige krullenbol.

'Hallo,' zei ze met een glimlach. 'Lisa? Ik ben Margaret.' Ze stak haar hand uit. Lisa was te verbouwereerd om te reageren, dus nam ze Margarets hand aan en knikte stom.

'Kom binnen, meid,' zei Margaret. Lisa wist niet hoe ze het had. Krullenbol-Margaret was heel hartelijk. Ze nam Lisa's jas aan. 'De vorige keer hebben we elkaar niet gezien, hè? Janine vertelde dat je heel wat voor je kiezen had gekregen met Josh en een enorme poepbroek.'

Wat? Janine en zij kenden elkaar? Goed genoeg om dat oppasfiasco te bespreken? Hoe zat dat... Deed die rooie net of ze een vriendin was terwijl ze achter de rug van Janine om rotzooide met Paul? Lisa kreeg geen geluid uit haar keel. Ze kon niet zomaar liefjes ingaan op Margarets vragen en opmerkingen.

'Kom, het is koud hier in de hal. Binnen is het veel lekkerder.' Ze legde haar hand op Lisa's schouder en liep met haar naar binnen. Lisa moest zich bedwingen om niet onder die hand weg te duiken. Paul zat op de bank met Joshua op schoot. Joshua was zo te zien net in bad geweest. Hij zat in pyjama en slaapzak naar *De Teletubbies* te kijken. In zijn handjes hield hij een lege fles geklemd. Hij keek op toen Lisa binnenkwam maar gaf geen teken van herkenning, daarna gingen zijn oogjes weer naar de televisie.

'Dag Lisa,' zei Paul. Hij klonk heel wat vriendelijker dan de vorige keer. Lisa knikte hem gedag. 'Waar is Janine?' wist ze eruit te krijgen.

'Janine? Die is naar huis.'

'Naar huis?'

'Ga toch zitten, Lisa. We zitten net aan de koffie. Wil je ook iets te drinken?' Margaret praatte alsof ze de baas in dit huis was en Lisa keek haar met nauwelijks verholen afkeuring aan. Dit klopte toch niet? Had Paul Janine eruit gesmeten om met die Margaret zijn gang te kunnen gaan? En speelde ze nu een beetje de perfecte gastvrouw?

Lisa schudde een keertje kortaf haar hoofd. 'Nee, dank u. Wanneer komt Janine dan weer terug?'

Margaret was oprecht verbaasd, totdat ze Lisa's gezicht zag en toen begon ze plotseling een beetje te lachen. 'Lisa... wat heeft Paul tegen jou gezegd?'

'Gezegd?' Lisa begreep haar niet.

'Over Janine?'

Daar had Lisa geen direct antwoord op. Wat Paul had gezegd? Niks bijzonders. Ze schudde haar hoofd. 'Ik snap niet wat u bedoelt...' zei ze en daarop begon Margaret onbedaarlijk te lachen.

'O Lisa...' Zelfs Paul, op de bank, trok een mondhoek omhoog en kroelde zijn zoon door z'n krulletjes.

'Lisa, vergis ik me nu of denk je dat Paul met Janine getrouwd is? Ik moet je teleurstellen, hoor. Ik ben zijn vrouw.'

Wat? Volkomen van haar stuk gebracht keek Lisa haar aan. 'Maar Janine...'

'Janine is mijn zus,' zei Paul geamuseerd. Margaret gebaarde Lisa te gaan zitten en nam plaats naast haar.

'Maar u zei toch zoiets als "mijn vrouw kent jouw moeder",' stamelde Lisa. 'Ik snap er niks van. Ik dacht echt dat Janine uw vrouw was.' Ze besefte opeens dat Paul inderdaad nooit gezegd had dat Janine zijn vrouw was. Lisa had dat gewoon aangenomen. Maar met 'mijn vrouw' had hij wel degelijk iemand anders bedoeld dan Janine.

'Dat klopt, ik ken jouw moeder ook,' zei Margaret. 'Ik sta

aan het hoofd van de salarisadministratie bij Praxis. Daar ken ik je moeder van. En zij vertelde over jullie Babysit Babes en toen heb ik jullie gebeld, en speciaal naar jou gevraagd. Snap je?'

'Maar Janine dan?' Lisa keek in de ogen van de knappe vrouw. Ze waren blauwgroen, omlijst door lange wimpers die wat omhoog krulden.

'Pauls zus past regelmatig hier op. Ik ben een paar jaar geleden erg ziek geweest en ik moet regelmatig een paar dagen naar het academisch ziekenhuis in Utrecht. Janine komt dan meestal hierheen. Ze heeft zelf geen kinderen en is dol op Joshua.' De ernst in haar stem ontging Lisa niet.

'Die avond dat jij hier kwam, was Margaret nog in Utrecht. Toevallig moesten Janine en ik allebei naar de verjaardag van mijn broer en daarom hadden we een oppas nodig,' nam Paul het van Margaret over. 'Ik had er bitter weinig zin in zonder Margaret, maar het moest helaas.'

De kus die Paul zijn vrouw had gegeven op het terras in de Heuvelgalerie stond Lisa nog haarscherp voor ogen en opeens schaamde ze zich. *En ik dacht nog wel dat hij vreemdging*, dacht ze.

'Je hoeft niet zo bedrukt te kijken. Ik snap best dat je in de war bent,' lachte Margaret opgewekt. Ze was een leuke vrouw met een open, hartelijke manier van doen. 'Paul vindt het vreselijk om alleen te moeten gaan. Hij was zeker een beetje kortaf. Daar heeft hij soms wat last van.'

Lisa durfde het niet te beamen, maar begreep het plotseling wel. Hij maakte zich zorgen over zijn vrouw en moest naar een verjaardag waar hij geen zin in had, en Lisa had zelf ook niet zo'n beste eerste indruk gemaakt. 'Ik heb er geen moment bij stilgestaan dat u de vrouw was van Paul,' zei ze en op het moment dat ze gesproken had, kon ze zichzelf wel voor haar kop slaan. Sukkel! Zo snapten ze meteen dat...

'Hoezo? We hebben elkaar toch niet eerder ontmoet?' vroeg Margaret vriendelijk.

De seconden die wegtikten duurden heel lang. Lisa voelde haar wangen rood worden. Uiteindelijk zei ze benepen: 'Ik zag u woensdagmiddag in de stad. Samen.' Ze kromp in elkaar. Wat zouden Paul en Margaret wel niet van haar denken? Dat ze hen bespioneerde?

'Dat kan kloppen hoor, we waren in de stad voor... oooooh! Nou begrijp ik waarom je zo moeilijk kijkt.' Opnieuw begon Margaret hartelijk te lachen. 'Jij dacht natuurlijk: wat is dat voor een vreemde vrouw? Omdat je geloofde dat Paul met Janine getrouwd was!'

Het liefst zou Lisa op willen springen en heel hard willen beweren dat dat niet zo was, maar ze knikte kleintjes. 'Ik schaam me kapot,' fluisterde ze.

'Doe niet zo gek, malle meid! Wat dacht jij toen je hierheen kwam? Hoe moet ik in godsnaam die mensen onder ogen komen? Die vent besodemietert zijn vrouw?' Het was bizar, maar het leek wel of Margaret haar gedachten las. Lisa schoof een beetje heen en weer op de bank en knikte. En opeens lachten ze allemaal. Lisa, Margaret, Paul, en zelfs Joshua deed mee.

Onderuitgezakt op de bank, een spannende film op het mega-grote scherm en een kom chips op de tafel: Lisa had zich geïnstalleerd. Ze had een sms'je gestuurd naar Moniek, Aïsha en Nikki: KRULLENBOL = VROUW VAN PAUL! DIKKE JANINE = ZIJN ZUS! DVD = TOP. TV = MEGA.

Daarna belde ze Tijn en vertelde ze hem alles.

'Waar kijk je naar?' vroeg hij toen ze eindigde met de uitleg die Paul had gegeven over de televisie, de afstandsbediening, het kinderslot en de werking van de dvd-speler.

'*The Air I Breathe*.' Lisa pakte het doosje van tafel. 'Paul is inkoper van multimedia en beoordeelt ze voor de Kijkwijzer. Hij heeft hier een enorme hoop dvd's die nog niet eens in Nederland verkrijgbaar zijn.'

'Mmm. Je moet maar eens vragen of het goed is als je vriendje meekomt,' zei Tijn zangerig. Hij klonk heerlijk sexy in haar oren en Lisa rilde verrukt.

'Mijn vriendje? Ik heb helemaal geen vriendje.'

'Ik ken een jongen die jou wel ziet zitten. Hij is lang en dun, heeft een prachtige verzameling pukkels en puisten en is heel makkelijk in de omgang,' plaagde Tijn.

Lisa's telefoon trilde. Er kwamen sms'jes binnen. Dat waren natuurlijk de anderen. Ze had hun nog niks verteld over Tijn. Het was een beetje haar geheim en ze vond het heerlijk om zich te koesteren in dat gevoel van kriebels in je buik. Echt verborgen kon ze het toch niet lang houden. Zelfs Bram en Tom zeiden gisteren al dat ze zo stom zat te lachen de hele tijd.

Stom lachen... nou ja, zeg.

'Hoe is het met de poepbaby?' informeerde Tijn.

'Die ligt in bed en slaapt als een os. Zonder poepbroek. Moet je deze week nog werken?'

'Woensdagmiddag weer, en in het weekend. Kom je dan? Zeg, mag jij al uit? Een keer naar de film of zo? Vlug, vlug, ik moet ophangen, want mijn batterij is bijna leeg.' Er klonk een dringend piepje dat Lisa net ook al gehoord had.

'Dat moet ik vragen aan mijn ouders. Woensdag dan. Bellen, hè?'

'Wie? Ik? Of je vriendje?'

'Mijn vriendje!' riep Lisa en het volgende moment was de verbinding verbroken. Ze grinnikte en zuchtte vergenoegd. Tijn. Tijn. Tijn. Ze kon het wel honderd keer zeggen en nog klonk het goed. *Je vriendje. Mijn vriendje.*

Er kwam weer een sms'je binnen. Een berichtje van Nikki. AHOY? ALLES GOED DAAR?

Naast de kom chips lag al een briefje van twintig euro voor haar klaar. *Nou en of*, dacht Lisa innig tevreden en ze drukte op *play*. Een vriendje in het verschiet, chips en zakgeld... wat wilde ze nog meer?

Ben jij ook benieuwd hoe het verdergaat met Lisa, Moniek, Nikki en Aïsha? Lees dan het volgende deel van de Babysit Babes: Om te zoenen!

Tien Startertips

Wil je ook gaan oppassen? Met de Babysit Babes kun je vooruit! In elk deel vind je handige tips. Hieronder: hoe start je?

1. Je eerste 'werkoverleg' is natuurlijk een gesprek met je ouders! Bespreek hoe vaak je mag oppassen en tot hoe laat. Als je door de week moet oppassen, moet je er rekening mee houden dat je het niet zo laat kunt maken omdat je de volgende dag naar school moet. In het weekend is het meestal geen probleem als het wat later wordt. Overleg het in ieder geval altijd thuis voordat je een afspraak maakt.

2. Je kunt oppasgezinnen krijgen door briefjes op te hangen in supermarkten en buurthuizen. Maak een net briefje op de computer en vermeld duidelijk hoe men contact met je kan opnemen (je telefoonnummer, je e-mailadres). Je naam hoef je er niet per se bij te zetten.

3. Is er ook een buurt- of wijkblad dat huis-aan-huis wordt bezorgd? Vaak kun je daar gratis een kleine advertentie in plaatsen en zulke blaadjes worden meestal veel gelezen. Bovendien zoeken mensen het liefst naar oppassers dicht in de buurt. Doen dus!

4. Word je gebeld voor een oppasafspraak, schrijf dan meteen de gegevens van het gezin op: naam en telefoonnummer en natuurlijk het adres!

5. Vraag om hoeveel kinderen het gaat en wat hun leeftijden zijn.

6. Neem de tijd om voorgesteld te worden en het huis te zien. Waar staat wat? Hoe werkt de magnetron? Hoe gaat de televisie aan? Waar liggen de sleutels?
7. Spreek van tevoren duidelijk af hoe laat de ouders terug zijn en geef dit ook door aan jouw ouders.
8. Heel belangrijk: hoe kun je de ouders van de oppaskinderen bereiken? Gelukkig heeft bijna iedereen tegenwoordig een mobiele telefoon. Zorg dat je een telefoonnummer en het liefst ook een adres krijgt. Heb je je mobieltje bij je, dan kun je het mobiele nummer meteen opslaan.
9. Het is gebruikelijk dat je oppasgezin jou naar huis brengt.
10. Op internet kun je informatie vinden over tarieven. Informeer ook bij vriendinnen die oppassen wat ze per uur verdienen.

Meer babysit-tips in het volgende deel.

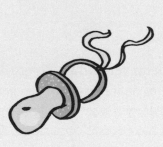

Babysit Babes 2: Om te zoenen

Aïsha is in het geheim verliefd op Viggo, de broer van Nikki. Op een dag plaagt hij haar een beetje, en geeft hij haar opeens een zoen. Terwijl iedereen weet dat Viggo op Moniek is...

Ook heeft Aïsha haar eerste oppasklus. Ze is stomverbaasd over het gedrag van het jongetje op wie ze moet passen: hij luistert totáál niet. Hoe moet ze dat nou weer aanpakken?

Dit boek verschijnt in november 2008.

Kijk ook op www.babysitbabes.nl